الإعلام والسياسية
مقاربة ارتباطية

الإعلام والسياسة

"مقاربة إرتباطية "

دكتورة حنان يوسف

أطلس للنشر والإنتاج الإعلامي

رئيس مجلس الإدارة

عـادل المصـري

عضو مجلس الإدارة المنتدب

حسـام حسيـن

مستشار النشر

أحمد جمال الدين

رقم الإيداع

٢٠٠٦/٣٥١٦

الترقيم الدولي

٩٧٧-٣٩٩-٠٥٣-٢

الطبعة الثانية

الجمع والإخراج الفني

"مكتبة ابن سينا"

مطابع العبور الحديثة

ت: ٦٦٥١٠١٣ ف: ٦٦٥١٥٩٩

الكتاب: الإعـــــلام والســـياســـة

المؤلف: د. حـــنـــان يـــوســـف

الغلاف: قـــدري عـــبـــد ربــــه

الناشر: أطلس للنشر والإنتاج الإعلامي ش.م.م

٢٥ش وادي النيل - المهندسين - القاهرة

e.mail: atlas@innovations-co.com

تليفون: ٣٠٢٧٩٦٥ - ٣٠٣٩٥٣٩ - ٣٤٦٥٨٥٠

فاكس: ٣٠٢٨٣٢٨

* * * *

تطلب جميع مطبوعاتنا من

وكيلنا الوحيد بالمملكة العربية السعودية

مكتبة الساعي للنشر والتوزيع

ص.ب ٥٠٦٤٩ الرياض ١١٥٣٣ - هاتف ٤٣٥٣٧٦٨ - ٤٣٥١٩٦٦

فاكس: ٤٣٥٥٩٤٥ جدة - تليفون وفاكس: ٦٢٩٤٣٦٧

إهــداء

إلى المؤمنين بعلاقة العسل والنحل ما بين الإعلام

والسياسة الساعين إلى إجابة السؤال :

أيهما يكون النحل وأيهما يبقى العسل ؟

المؤلفة

تصـدير:

تشهد الأيام الحالية مؤشرات بنائية قوية على تجسيد العلاقة الارتباطية فيما بين السياسة والإعلام ومدى ترسخ الاعتمادية بين كل من النظام السياسى والاعلامى ، لذلك يسعى هذا الكتاب إلى طرح مقارنة ارتباطية ما بين مفهومى السياسة والإعلام كمدخل منهجى لدراسة تأثيرات كل منهكا على الآخر ، متناولا ابرز التوجهات التى ترتبط بمفهوم عم السياسة العامة وتعريفات النظام السياسى وأسس وأنماط تصنيفاته المختلفة والتى أثبتت منذ فترة ما قبل الحربين مدى تأثرها بالخطاب الاعلامى وتأثره بها.

كما يقدم هذا الكتاب قراءات منهجية للنظم الإعلامية نظريات الإعلامية المختلفة وصولا إلى رصد وتعريف مفهوم الإعلام السياسى والذى يتداخل فى كافة أنماط وسائل الاتصال الجماهيرية المختلفة .

كما تطرح الكاتبة رؤيتين مقارنتين أحداهما نموذجا تطبيقيا لتجسيد العلاقة الثنائية ما بين السياسة والإعلام فى الشأن الداخلى من خلال دور وسائل الاتصال فى تدعيم المشاركة السياسية ، أما الرؤية الأخرى فتبحث كيف يمكن أن يؤدى الاتصال الدولى فى سياق السياسة الخارجية تنظيرا لإشكالية الصورة الذهنية المشوهة للعرب والمسلمين فى وسائل الإعلام الغربية .

والناشر كما يؤكد أن الآراء المعرب عنها في هذا الكتاب هى أراء كاتبته ومؤلفته ،إلا إنه أيضا يثمن قيمة الجهد الذى قدمته المؤلفة في هذا النتاج الفكري والذى استندت فيه على خبرتها الأكاديمية في مجال الإعلام السياسى كمدرس للإعلام السياسى والدولى بجامعة عين شمس بالإضافة إلى توظيف هذه المرجعية الأكاديمية مع خبرتها المهنية في مجال الإعلام التليفزيونى أو نشاطها الحزبي أو التطوعي لصالح قضايا العمل العام كواحدة من ابرز نشاطات الجيل الجديد فيه، وسعت إلى مزج كل هذه الخبرات في أسلوب عميق وسلس يوثق المعلومة الأكاديمية ويكسبها حيوية تطبيقية في سبيل مزيد من الفهم لمنهجية العلاقة ما بين الإعلام والسياسة.

وعليه يأمل الناشر أن يساعد هذا المؤلف في سد النقص للمكتبة العربية في إصدارات الاتصال السياسى واشكالياته لباحثي العلوم السياسة والإنسانية من اجل إثراء الخريطة الفكرية العربية والارتقاء بشأنها.

الناشـــر

مقدمة

إلى حد ما ، قد بدأت فكرة هذا الكتاب منذ أكثر من عشر سنوات خلال محاضرات مقرر (مدخل لعلوم السياسة) كطالبة بالفرقة الثانية بكلية إعلام القاهرة ، ومعها بدأ اهتمامي الأول فى قيمة بحث العلاقة الارتباطية الثنائية فيما بين الإعلام والسياسة ومعها أيضا تجلت أهمية تدريس مواد العلوم السياسية لطلاب الإعلام والعلوم الإنسانية ومدى المسئولية الملقاة على عاتق الجماعة الأكاديمية فى إنتاج مقررات علمية مبسطة تستوعب هذه الثنائية ومتغيراتها وآلا تقدم بشكل أحادى منفصل .

ومن يومها تحدد مسار التفكير الذى يرسى أساس هذا الكتاب ودعمه نتائج دراستي فى ماجستير الإعلام عن (تأثير الإعلام فى تدعيم المشاركة السياسية لدى الشباب) والتى أثبتت إن الإعلام يرتبط ارتباط وثيق بالمكون السلوكي السياسى للإفراد ويحفزهم على المشاركة .

وتبلورت الرؤية النهائية له بعد ما شهدته الساحة العالمية الآن من تزايد مطرد لتأثيرات الاتصال والإعلام فى صنع القرارات والسياسيات الداخلية والخارجية بل واشتركت وسائل الإعلام أيضا فى الحروب العسكرية والنفسية كعنصر رئيسي من عناصر المعركة وساعدت فى تغليب كفة طرف عن طرف أخر وصار من يملك الإعلام يملك الغلبة فى المعركة الحياتية والعسكرية والسياسية والاقتصادية وغيرها .

وربما يسعى هنا هذا الكتاب إلى أن يقدم عونا متواضعا إلى الأجيال العربية الشابة من السياسيين والإعلاميين التى ترغب فى تحمل مسئوليتها القدرية فى تغيير وجه هذه الأمة إلى الأفضل عن طريق الإيمان بمدخل المفهوم الشامل للاتجاه ABC والذى تطرحه صفحات هذا الكتاب والذى يقضى بان تغيير الواقع لا يكفيه توافر المكون العاطفى فقط وإنما لابد من ترسيخ المكون المعرفى عن طريق زيادة الوعى السياسى وتعزيز فهم وإدراك الأفراد السياسى وتبصيرهم بحقائق الأمور .

وإذ تأمل المؤلفة أن يكون هذا الكتاب إضافة حقيقية لنقص طال وجوده فى المكتبة العربية فى مجال الاتصال السياسى فى قضية هامة تبحث مدى تأثير العلاقة الثنائية ما بين السياسة والأعلام ، ترجو من المولى أن يكون ذو فائدة للدارسين والممارسين كل فى تخصصه .

و الـلـه الموفق «««««

المـؤلـفـة

الفصـل الأول
مدخل لعلم السياسة

- مفهوم السياسة العامة
- مفهوم علم السياسة
- النظام السياسى
- تصنيف النظم السياسية
- القوة القومية
- عناصر ومكونات القوة القومية
- أساليب استخدام القوة القومية
- القيود الموضوعة على القوة القومية
- توازن القوى
- أساليب توازن القوى
- العلاقات الدولية
- صنع السياسة الخارجية

مفهـوم السيـاسـة العامـة

- يرى توماس داى أن السياسة هى ما تفعله ولا تفعله الحكومة،أما ديفيد ايستون فيستخدم الكلمة بمعنى التخصيص السلطوي للقيم على مستوى المجتمع ككل ،فالسياسة هى مجموعة القرارات التى تتخذها الدولة من اجل تحقيق أهداف محددة فى مجال ما [١].

- بمعنى أن السياسة بمثابة مرشد للقرارات الخاصة بمشكلة أو موقف معين فى حالة تواجد أكثر من بديل لمواجهة هذا الموقف حيث أن القرار اختيار أحد البدائل المطروحة للمواجهة.

- وتطبق هذه السياسة فى إطار نظام سياسى لا يقوم على فراغ وإنما فى بيئة تفرض قيودا وتهيىء فرصا للاختيار السياسى، فهناك ثمة اعتماد متبادل ما بين النظام والبيئة لذلك فان تشكيل وأداء النظام السياسى لا يمكن أن يتم بمعزل عن معرفة الأساس البيئي بعناصره الطبيعية والتاريخية والاقتصادية والاجتماعية والثقافية[٢].

- لذلك فإعلام كل دولة إنما يعبر عن فكر وفلسفة النظام السياسى أو الإيديولوجية **السياسية السائدة فيه ،بل أن نظريات الاتصال ذاتها تتحرك فى إطار الأنظمة السياسية المختلفة ،وتنتهج مبادئها وتنفذ تطبيقاتها وهى[٣]:

١ـ نظرية السلطة- **Authoritarian Theory**

٢ـ نظرية الحرية – **Libertarian Theory**

٣ـ نظرية المسئولية الاجتماعية **Social Responsibility Theory**

٤ـ نظرية الشيوعية **Communist Theory**

النظـام السـيـاسـى

عند النظر إلى التعريـف بالنظـام السـياسى ، يتضـح انـه تقليـديا كـان النظـام السياسى يفهـم كمـرادف لنظـام الحكـم وفقـا لمفهـوم المدرسـة الدسـتورية التـى سـادت قبـل الحـرب العالميـة الثانيـة والتـى فهمـت النظـام السـياسى عـلى انـه المؤسسـات السياسـية وبالـذات الحكوميـة الموجـودة فى المجتمـع ، إلا أن هـذا المفهوم تحت تأثير المدرسة السلوكية الحديثة قـد تغـير وأصبح ينظـر إليـه عـلى أساس انه مجموع التفاعلات السياسية والعلاقات المتداخلة والمتشابكة المتعلقـة بالظاهرة السياسية[٤] .

ويرتبط النظام السياسى بمعايير القوى السياسـية كـالقوى التـى تـؤثر فى صنع القرار ونظم الملكية ودور المؤسسات العسكرية والجماعات الأخـرى كالجماعـات ووسائل الإعلام، فالنظام السياسى يشـتمل عـلى الحكومـات والأحـزاب وجماعـات الضغط وجماعات المصالح وغيرها .

فيعرف ايستون النظام السياسى بأنـه مجموعـة مـن التفـاعلات والأدوار التـى تتعلق بـالتوزيع السـلطوى للقيم وفى مقدمتها عمليـة تخصيص القيـم اى مـن يحصل على ماذا **who gets what** - ويضلع النظام السياسى هنا بعملية التوزيع وتنظيما بما يتخذه من قرارات ملزمة للجميع [٥] .

فالنظام السياسى هو مجموعة من التفاعلات كشـبكة معقـدة مـن العلاقـات الإنسانية تتضمن عناصر القـوة أو السـلطة أو الحكـم ؛ والـنظم السياسـية بهـذا المعنى ليست موضحة على خرائط فلا يوجد ضرورة تطابق بـين النظـام السـياسى المصري أو النظام السياسى الامريكى وبين حدود دولة مصر أو الولايات المتحـدة الأمريكية لان المفهوم هنا مختلف على النحو التالي :

١- أن مفهوم النظام السياسى يختلـف عـن مفهـوم الدولـة لان الأول لا يعـدو كونـه مفهومـا أو مركبـا تحليـلا يسـتخدم لفهـم الظـاهرة السياسـية أو لتحليلهـا فالنظام ليس

له وجود واقعي إلا في الأذهان أو التصورات وان كان هذا لا ينفي أن الأغراض التي يضمنها الباحث صورته عن النظام لها وجود واقعي .

٢ـ يعتمد وجود النظام فقط على وجود نمط مستمر من العلاقات الإنسانية بينما يتطلب وجود الدولة عناصر أخرى كالإقليم وقدر من السيادة أو الاستقلال أو السلطة، فالباحث لا يستطيع أن يعين حدود إقليمية للنظام السياسي المصري أو للحزب الوطني الديمقراطي بينما يستطيع أن يعين حدود مصر ـ ومراكزها وقراها بالنظر إلى الخرائط المتاحة.

خصائص النظام السياسي :

ويتميز النظام السياسي بثلاث خصائص :

١-التفاعل داخل النظام بين الوحدات والأعضاء سواء بشكل فردي أو جماعي ، مباشر و غير مباشر ، ثنائي أو متعدد الأطراف .

٢- يشترط قيام النظام على الاعتماد المتبادل بين هذه الوحدات بمعنى أن أفعال طرف ما تؤثر في بقية الأطراف أو أن التغير في وحدة ما يؤثر على باقي الوحدات

٣- كافة النظم السياسة تتجه نحو الحفاظ على الذات فكل نظام يبني مؤسسات ويتبع ممارسات يقصد من ورائها أن يحافظ على وجوده وان يبقى عبر الزمن (٦).

ومن خلال هذه الخصائص الثلاث ، التفاعل والاعتماد المتبادل والحفاظ على الذات علاوة على عنصر القوة أو السلطة يمكن تكوين نظام سياسي ومن هنا يمكن تصور تعدد النظم السياسية في داخل الدولة الواحدة .

فالنظام السياسي ليس الحكومة وإنما الحكومة هي جزء منه يرتبط بالدور الرسمي في صنع وتنفيذ القرارات كإطار يتم فيه العمليات التشريعية والتنفيذية والقضائية والإدارية للنظام السياسي، فهناك المؤسسات الغير حكومية التي تمثل جزء رئيسي من النظام السياسي مثل الأحزاب وجماعات المصالح وغيره.

العلاقة بين النظام السياسى والنظام الاجتماعي

لا ينفصل النظام السياسى عن البيئة التى يعيش فيها وإنما هو يتأثر ويؤثر فيها ويتفاعل مع بقية النظم المجتمعية الأخرى الاقتصادية والاجتماعية والطبيعية والثقافية وهو يتفاعل أيضا مع البيئة الخارجية إقليميا وعالميا .

وقد سعى العديد من الباحثين لرصد عناصر ومكونات النظام السياسى من هذه الرؤية لقياس ارتباط النظام الاجتماعي فى تشكيل وصياغة النظام السياسى .. فلقد تحدث ابتر عن ثلاثة عناصر هى :

- التدرج الاجتماعي : بمعنى قياس معايير هذا التدرج والفئات الاجتماعية المختلفة داخل المجتمع الواحد ، سياسيا ، اقتصاديا، اجتماعيا ، دينيا، تعليميا...
- الحكومة: من حيث مسئوليتها فى الحفاظ على النظام السياسى من خلال عمليات صنع القرار ، ثم بناء هيكل المحاسبة والموافقة من خلال الأجهزة الرقابية واستطلاعات الراى المختلفة ، وكذلك بناء العقاب كأساليب للردع من مخالفة القوانين ، ثم بناء واستغلال وتوزيع الموارد ويدخل فى ذلك مسائل الضرائب وتقدير الدخول ونظم الرعاية الاجتماعية .

ويقسم البعض بين ثلاث أنواع من الحكومات: الحكومة البرلمانية والحكومة الرئاسية وحكومة الجمعية الوطنية، وان ظهرت بعض الحكومات الآن من الممكن المزج فيها بين أكثر من نوع مثل النظام الرئاسي البرلمانى الذى تتجلى فيه أهمية لرئيس الدولة وللحكومة بالإضافة إلى ثقل البرلمان الذى تكون الحكومة مسئولة إمامه[٧].

- الجماعات السياسية : يشير مفهوم الجماعات السياسية إلى كل ما يتعلق بجماعات الضغط والأحزاب والمصالح ومنظمات المجتمع المدنى .

أما صمويل بير فقد حدد هو الآخر نموذجا لنظام السياسى يقوم على أربعة محاور هى:

- نمط المصالح
- نمط القوة
- نمط السياسة
- نمط الثقافة السياسية [٨].

وان كانت معظم الاجتهادات السائدة فى تحليل ماهية النظم السياسية تركز على أن جوهر العملية السياسية تكمن فى التفاعل بين الإطار المجتمعى والمؤسسات الحكومية ، فالنظام السياسى هو مفهوم أوسع من الحكومة والتفاعلات السياسية تحدث بين النظام والبيئة داخليا وخارجيا من جهة وما بين المؤسسات السياسية من جهة أخرى لتكوين وتدعيم النظام السياسى.

تصنيف النظم السياسية

اجتهد الباحثون فى العلوم السياسية فى محاولة وضع تصنيفات محددة للنظم السياسية المختلفة فعلى الرغم من الاقتناع بان النظم السياسية هى فى تغير مستمر ، إلا أن عملية التصنيف فى حد ذاتها تفيد فى إظهار جوانب الاختلاف والاتفاق البارزة بين النظم السياسية المختلفة ، وتنوعت أنماط وأساليب تصنيفات النظم السياسية وفقا للعديد من المحاور :

١- عدد المشاركين فى الحكم :

وهو تقسيم كلاسيكى منذ عهد أرسطو يعتمد على عدد المشاركين فى الحكم : فرد (نظام ملكى) - أقلية (نظام ارستقراطى) - كثرة (نظام ديمقراطي) .

٢- مصدر الشرعية :

وتنقسم إلى ثلاثة نماذج :

- نموذج تقليدى : مصدر شرعية السلطة فيه هى العادات والتقاليد الموروثة.
- نموذج عقلانى ـ قانونى : وتستمد فيه السلطة شرعيتها من القانون .

■ نموذج كاريزمي: وفيه يكون الزعيم صاحب الكاريزمية الخاصة والـذى يحوز صفات غير عادة هو مصدر شرعية السلطة (٩).

٣- النظام الاقتصادى :

ويعد كارل ماركس واحد من رواد هذا النمط فى تقسيم النظم السياسية حيث يميز بين خمسة أنماط من النظم:

- نظام المشاع الذى لايفرق بين الملكية ولا الطبقات ويسوده المساواة بدون تمييز.

- نظام عبودى بين طبقتى السادة والعبيد.

- نظام اقطاعى قوامه نبلاء الأرض.

- نظام رأسمالي تسيطر فيه الطبقة الرأسمالية فى مواجهة الطبقة العمالية التى تعمل ولا تملك .

- النظام الشيوعى الـذى يفـترض تلاشى الملكيـة الخاصة والطبقـات والصراع الطبقى والدولة (١٠).

٤- نظام الثنائيات المتقابلة :

ومن ابرز أنماط هذا التقسيم النظم الديمقراطية والدكتاتورية:

- النظام الديمقراطى : يتميز بوجود ضوابط على شاغلى المناصب السياسية وتعدد القوى السياسية كالأحزاب وجماعات المصالح ووجود معارضة سياسية منظمة وانتخابات حرة والحياد السياسى للجيش مع سيادة القانون .

- النظام الديكتاتوري : يتسم بغياب المعارضة المنظمة والصحافة الحرة واختفاء أو ضعف التشريعات ومؤسساتها وتركز السلطة فى يد فرد أو مجموعة صغيرة وقد يتدخل الجيش فى السياسة فى ظل غياب لحكم القانون .

٥- درجة التمايز البنائى والتخصص الوظيفى :

وقد فسر جابريل الموند هذا التقسيم على اعتبار انه يصنف النظم وفقا لدرجة التمايز البنائى والتخصصى الوظيفى من ناحية ومدى تجانس وعلمنة الثقافة السـياسية من ناحية أخرى ويميز المـوند بين أربـع مجموعـات من النظـم السياسية

وهى : النظم الانجلو أمريكية – النظم قبل الصناعية – النظم الشمولية- النظم الاوروبيةالقارية {فرنسا- ايطاليا} [١١].

وان كان يوجه النقد لهذا النموذج على اعتبار انه لايشتمل على كافة الأنظمة السياسية المعاصرة مثل النظم القائمة فى الدول الاسكندنافية على سبيل المثال .

إلا أن الباحث برنارد كريك حاول احتواء بعض الانتقادات الموجهة لتصنيفات النظم السياسية فى عدم اشتمالها على كل التصنيفات فسعى من خلال مقياسه المتكامل تمييز الفروق بين ثلاث من اشهر النظم السياسية وهى : النظم الاوتوقراطية والجمهورية والشمولية وذلك باستخدام عدد من المعايير المختلفة كما رصدها فى الجدول التالي [١٢]:

تصنيف برنارد كريك للنظم السياسية

النظام / التصنيف	اتوقراطى	جمهورى	شمولى
الحفاظ على النظام	فرض رأى مجموعة بالقوة والإجبار	تواجد مصالح مختلفة فى بنية السلطة بالاختيار الحر.	فرض ايديولوجية تدعى بالشمول
دور الجماهير	الخضوع والطاعة السلبية	المشاركة التطوعية	حشد الجماهير خلف القيادة
المذهب الرسمى	الامتثال واجب والحكومة مقدسة	الامتثال مطلوب ومبرر على أسس نفعية	الامتثال ايديولوجى أو عقيدي
البنية الاجتماعية	طبقية جامدة لا حراك	طبقة وسطي كبيرة	تعتمد على الوظيفة أو الدور السياسى
النخبة السياسية	مغلقة وأرستقراطية	منفتحة واختيارها ديمقراطي	مجموعة حزبية صغيرة
التنظيم الاقتصادى	زراعى أو استخراجى للاكتفاء الذاتى	حر راسمالى أو مختلط حكومى راسمالى	مخطط وموجه مركزيا

القانون	ويرتبط بالمكانة الاجتماعية للافراد	العنف والتشريع ولا تمييز بين الأفراد	القانون يضعه منظرو الحزب المسيطر
الاتصال والأعلام	للشائعات منزلة والاتصال شفاهى	الصحافة حرة تتدفق بشكل متبادل من أعلى لأسفل	الدولة تسيطر على الإعلام
السياسة	يسمح معارضة غير علنية	المعارضة علنية وماطرة فى مؤسسات	لا يسمح بالتنافس أو المعارضة

إلا انه من خلال الرصد السابق لبعض محاولات الباحثين فى تعريف النظام السياسى أو وضع التصنيفات الشاملة له يتبقى القول بان أفضل تصنيف للنظام السياسى يظل هو الذى يبرز اكبر عدد ممكن من خصائص النظام اقتصاديا واجتماعيا وثقافيا وسياسيا، وان حجم العافية والقوة فى اى نظم سياسى يتجلى فى حجم التفاعل والتشارك بين جميع عناصر هذا النظام من اجل صالح الأهداف العامة والسياسات العامة التى تسعى من خلالها الدولة لرسم وصياغة وضعها على الخريطة الوطنية والإقليمية والدولية.

القــوة القوميــة National power

يقصد بمفهوم القوة القومية للدولة قدرتها علىالتاثير على الآخرين وكذلك طريقة تقدير الدولة لقوتها وطريقة تقدير الدول الأخرى لهذه القوة، وليست القوة الوطنية كمفهوم يقتصر فقط على القوة العسكرية وإنما يتبادر إلى الذهن أيضا عدد أخر من العناصر مثل العامل الجغرافى والإمكانية الاقتصادية والسكان بالإضافة إلى كفاءة الأجهزة السياسية والدبلوماسية والدعائية .

وان كان مفهوم القوة القومية هو مفهوم نسبى فعناصر القوة القومية ليست عناصر ثابتة وإنما هى عرضة للتغيير ويجب أن تراعى أيضا مقارنات الوزن النسبى للدول الأخرى لتستطيع كل دولة تقدير قوتها القومية (١٣).

عناصر ومقومات القوة القومية :

١- العامل الجغرافى :

عند الوقوف على العامل الجغرافى كعنصر من العناصر المكونة للقوة القومية للدولة ينبغى النظر إلى عدة اعتبارات منها: حجم الدولة ، الاتساع الجغرافى للدولة ، الطبيعة الطبوغرافية ، الموقع الجغرافى.

فواحد من عوامل انتصار الجيش السوفيتي فى الحرب العالمية الثانية على القوات النازية كان طبيعة الموقع الجغرافى للاراضى الروسية واتساعها والاعتبارات المناخية شديدة البرودة، كما كان واحد من أهم الصعوبات التى واجهت القوات الأمريكية فى حربها على أفغانستان (٢٠٠١/٢٠٠٢) صعوبة تضاريس الاراضى الأفغانية وتكوينها من عدد كبير من الكهوف الجبلية مما أعاق تقدم القوات الأمريكية فى إدارة المعركة عسكريا.

٢- الإمكانية الاقتصادية:

تعتبر واحدة من أهم المكونات للقوة الوطنية من خلال مدى الزيادة أو الندرة النسـبية فـى الموارد الطبيعية والكـوادر الفنية، والتـقـدم التكنولوجـي ، وكـل هذه

العوامل تعد عنصرا من عناصر القوة القومية ، وان كان من الضروري ربط الإمكانية الاقتصادية بالتقدم الاقتصادى وما يرتبط به من خصائص بنائية واقتصادية وتقدم تكنولوجي وكوادر فنية .

٣- الســـكان :

عند التعرض للعامل السكانى كعامل من عوامل بناء القوة القومية للدولة ينبغى أن يوضع فى الاعتبار المعادلة الثنائية ما بين الكم والكيف وهنا يرتبط التزايد فى عدد السكان بالخصائص الكيفية للسكان، فحينما يكون الكم على حساب الكيف تصبح الزيادة هنا كعامل عددى وليس نوعى من العوامل التى ربما قد تؤدى إلى تخلف الدول وليس رفعتها، وربما يمكن أن تستغل كوسيلة للتدخل الخارجى مثلما اعتمدت الدول الاستعمارية على أبناء المستعمرات فى الحصول على القوة البشرية التى تستخدمها فى بعض المجالات المدنية والحربية.

٤- الإمكانية العسكرية:

تعد مكونا هاما من مكونات القوة القومية للدولة من خلال ربطها بالتقدم التكنولوجي للدولة فى صناعة الأسلحة وخصائص الكوادر العسكرية، كما يرتبط بهذا أيضا قدرة الدولة على صناعة الأسلحة التقليدية والنووية ، فالقوى الكبرى تمتاز ضمن ما تمتاز به بإمكانيات امتلاك السلاح النووي ، وعلى هذا الأساس تشكل عناصر القوة الوطنية .

٥- كفاءة الأجهزة السياسية والدبلوماسية والدعائية:

وتثير هذه النقطة العديد من القضايا مثل طبيعة النظام السياسى وماهيته وحجم الديمقراطية فيه ومدى وجود تعددية حزبية وطرق صناعة القرار وحجم المشاركة السياسية .

كما يرتبط بهذا العنصر أيضا مدى كفاءة الأجهزة الدبلوماسية والدعائية وقدرتها على ترجمة إمكانيات الدولة وتعبئتها بالشكل الصحيح من حيث مدى التحديث السياسى والاجتماعى وبث الروح المعنوية وتعضيدها .

أساليب استخدام القوة القومية :

فى ظل ما يشهده العالم الآن من تشكيل القطبية الأحادية، تنوعت الأساليب التى تتخذها دولة المركز فى سبيل استخدام قوتها القومية ، ونمت ما يسمى باستراتيجيات الارتباط الحديثة التى تسعى بها إلى تحقيق سيطرتها من خلال استخدام أكثر لأسلوب الحوافز الايجابية كوسيلة لتعديل سلوك النظم المناوئة لها بالإضافة إلى نسب اقل لسياسات العقوبات أو العنف أو استخدام القوة العسكرية بعد إن أثبتت سياسات الارتباط الخشن التكاليف الرهيبة لسياسات الجزاءات والعقوبات والقوة العسكرية [١٤].

إلا إن الأساليب التقليدية فى استخدام القوة القومية يظل لها أيضا تأثيرها فى إدارة الصراع السياسى وتتحدد ابرز هذه الأساليب فى:

أولا : أسلوب الإقناع :

بمعنى إن الدول المؤثرة قد تستخدم قوتها القومية من خلال استمالة الدول الأخرى الأقل قوة منها وترى إن أسلوب الإقناع هو الأفضل للحصول على أهدافها.

ثانيا:أسلوب تقديم الإغراءات:

يتمثل هذا الأسلوب فى تقديم المساعدات الاقتصادية والعسكرية والتنازلات الإقليمية ، وفيما يتعلق بالمساعدات الاقتصادية نجد إن دولة مثل الولايات المتحدة وألمانيا الغربية تلجا إلى أسلوب تقديم المساعدات الاقتصادية كوسيلة، كما إن أسلوب تقديم المساعدات العسكرية اوالتنازلات الإقليمية أو الاستقلال السياسى للمستعمرات كلها تعد وسائل وأنواع مختلفة من أسلوب تقديم الإغراءات .

ثالثا: أسلوب فرض العقوبات:

قد يدخل فى هذا الأسلوب نمط المقاطعة الاقتصادية أو الحصار البحرى وفرض قيود على الهجرة أو قيود على التجارة الخارجية مثل منع تصدير السلع الاستراتيجية وما شابه ذلك ، وان كانت الاستراتيجيات الحديثة تقلل الآن من فرص نجاح هذا الأسلوب على اعتبار إن العقوبات تسفر عن صعاب اقتصادية وربما تأثيرها

لا يكفى لفرض التغيير السياسى المطلوب كما قد تثير نتائج غير مقصودة مثل تقوية النظم البغيضة فى الدول التى تفرض فيها العقوبات وغيرها .

رابعا: أسلوب التهديد باستخدام القوة :

يأتي هذا الأسلوب كأسلوب يتوسط فرض العقوبات من جهة ومن جهة أخرى أسلوب استخدام القوة المسلحة، وقد يكون هذا التهديد ظاهرا أو مقنعا كالإنذار أو الطرق الدبلوماسية.

خامسا: أسلوب استخدام القوة المسلحة :

يعتبر من أقسى أنواع الأساليب وأكثرها تعقيدا وعنفا من أساليب استخدام القوة القومية فى العلاقات الدولية، وتلجأ إليه الدول مستخدمة قوتها القومية فى عناصرها المختلفة للحصول على مزايا إقليمية أو إسقاط نظام معين.

ومثلما تعرضت فاعلية أسلوب التعويضات للتساؤل، تعرضت للجدل أيضا حدود استخدام القوة العسكرية، رغم إنها ستظل أداة للسياسة الخارجية ولكن استخدامها مكلف وليس من المؤكد معرفة ما إذا كان سيحقق أهدافه آم لا [١٥] .

القيود الموضوعة على ممارسة القوة القومية :

ويتضح مما سبق إن الدولة ذات القوة القومية العالية فى سلم القوى الدولية قد تستخدم أساليبها المختلفة للتأثير على الدول الأقل قوة والحصول على أهداف وتحقيق سياسات معينة قد تكون فى بعض الأحيان مجحفة وظالمة للطرف الأقل، تسعى من خلالها الدولة الأقوى إلى استغلال قوتها فى الحصول على مبتغاها وتحقيق مزيد من السيطرة .

إلا إن النظام الدولى فى محاولة لتقييد هذه القوة المسيطرة بشكل عنيف بعض الأحيان والساعية نحو الهيمنة سعت إلى وضع عدد من القيود على ممارسة هذه القوة من أبرزها:

١-الأخلاقيات الدولية:

ومنها عدم اللجوء لاستخدام القوة فى العلاقات الدولية واحترام حقوق الإنسان وحريات الأساسية وحق الدول فى تقرير مصيرها.

٢-الراى العام الدولى :

وهو الرأى العام الذى يتعدى الحواجز الدولية ويكون رأيا عاما قد يكون رسميا أو غير رسمي إلا انه يحمل اتفاق أراء مجموعات من البشر تنتمي إلى وحدات سياسية مختلفة.

وقد يصبح هذه الراى العام مؤثرا فى صنع القرار الداخلى والخارجي فى السياسات المختلفة وتشكيلها.

٣- القانون الدولى :

حيث يفرق القانون الدولى ما بين الحرب العادلة والحرب غير العادلة أو غير المشروعة، وعليه فان صفحا ت كتب القانون الدولى تمتلىء بالعديد من المواثيق والمواد والبنود التى من شانها إن تجرم استخدام القوة القومية للدولة لأساليب العنف والبطش.

٤-السيادة القومية :

يعد هو أيضا عاملا من العوامل التى تقيد استخدام الدولة لقوتها القومية بأساليب غير شرعية ويفترض هذا المبدأ إن الدول تتساوى فى السيادة سواء كانت دول عظمى أو صغرى ، وان كان الواقع الفعلى يثبت انه كلما قل وزن الدولة قلت قدرتها على الحفاظ على سيادتها [١٦] .

ورغم وجود هذه القيود التى قد تحد من استخدام الدول لقوتها القومية على حساب الدول الأخرى الأقل وزنا وقوة على سلم القوى الدولية ، إلا إن هذه القيود تبقى مجرد اطر شكلية وحبر على ورق فلا توجد مؤسسات تجبر دول قوية على تنفيذ إحكام بعينيها أو الانصياع للراى العام الدولى أو مبادىء الأخلاقيات الدولية أو حتى مبدأ سيادة الدول .

وربما ما يحدث الآن على المستوى العربي وأحداث الحرب الانجلو أمريكية على العراق وقبله سياسة الكيل بمكيالين لصالح إسرائيل لهو خير شاهد يثبت مدى استخدام الولايات المتحدة الأمريكية لقوتها القومية بأساليب غير مقبولة من قبل المجتمع الدولي كله في سبيل تحقيق أهدافها ومصالحها وسياستها.

تـــوازن القـــوى

كان مفهوم توازن القوى من المفاهيم الرئيسية التي تميز بها ميزان العلاقات الدولية خلال القرن ١٩، وكان توازن القوى متحركا بمعنى إن الحليف يمكن إن يتحول إلى عدو والعكس تبعا لخصائص المصالح ، وكان هناك قوتين عظميتين تحركان الإحداث وهى الاتحاد السوفيتي (سابقا) والولايات المتحدة الأمريكية ومعه ظهر مفهوم القطبية الثنائية وسيادة المعسكرين الشرقى والغربى ، إلا انه مع بداية التسعينات انهار الاتحاد السوفيتي السابق وتفكك على يد الرئيس السوفيتي السابق ميخائيل جورباتشوف من خلال حركتى البرويستريكا والجلاسنوست أو المصارحة وإعادة البناء .

ومع انهيار الاتحاد السوفيتي تحول العالم من ثنائية الأقطاب إلى القطب الاحادى ومعه ظهرت الهيمنة الأمريكية على العالم بشكل متفرد لدرجة إن بعض الباحثين يعرفون مفهوم العولمة الحديثة بالأمركة Americanization دلالة على سيطرة القطب الامريكى في إعادة تشكيل وصياغة العالم .

ورغم ما قد يفرضه هذه المشهد من توتر على مقدرات العالم وبالتحديد المنطقة العربية منه، إلا إن تاريخ العلاقات الدولية يثبت انه طالما بقى صراع فان مفهوم التوازن مفهوم متغير، فالتوازن ما يلبث إن يتحول إلى عدم توازن وهكذا بالعكس وتستمر ظاهرة التوازن وعدم التوازن وفقا لإطراف الصراع وكيفية إدارته.

الأساليب الشائعة فى إطار توازن وعدم توازن
القوى فى منظومة العلاقات الدولية

١-أسلوب فرق تسد:

وهو أسلوب شائع فى العلاقات الدولية بإبقاء الدول المتنافسة فى حالة من التفكك والانقسام.

٢-أسلوب التعويضات:

وهو يستخدم كنوع من أنواع التسويات الخاصة بالتعويضات الإقليمية فعلى سبيل المثال قسمت بولندا ثلاث مرات خلال القرنين ١٨، ١٩ بين بروسيا وروسيا والنمسا كنوع من التسوية الخاصة بالتعويضات الإقليمية.

٣-أسلوب سياسة التسليح:

وهى تعكس سياسة نزع التسليح أو التسابق فى التسليح بين طرفين أو أكثر سواء على المستوى الفردي أو الجماعي.

٤-أسلوب المحالفات:

وهو أسلوب يعنى التكتل فى شكل ثنائي أو جماعي لتحقيق المفهوم الامنى أو ما يسمى أحيانا الأمن القومى أو الأمن الجماعى، ووفقا لهذا الأسلوب تم تكوين عدد من الأحلاف مثل حلف شمال الاطلنطى (الناتو) وحلف وارسو، وحلف بغداد.

٥-سياسة المناطق العازلة :

وهى تعنى إقامة كيان ضعيف نسبيا بين كيانين أقوى فمثلا اعتبرت أفغانستان منطقة عازلة بين الهند وروسيا، وبلجيكا منطقة عازلة بين فرنسا وألمانيا.

٦- سياسة التدخل :

بمعنى التدخل فى شكل عسكرى بزعم المحافظة على سياسة التوازن وهو فى جوهره يسعى إلى فرض مزيد من الهيمنة أو تكريس الوضع القائم ومقاومة اى أنظمة سياسية قد تراها الدول القوية مناوئة لها وتؤثر بأدائها على قوتها ومصالحها فى هذه الدول [١٧].

ويتضح من الأساليب السابقة إنها أساليب أنتجتها أساسا الدول التى تتمتع بدرجة قوة عالية وثقل اكبر من غيرها ليس فى سبيل تحقيق قدر من التوازن وإنما نحو خلق مزيد من حالات عدم التوازن أوالتوازن لصالح كفتها هى ساعية إلى مزيد من الهيمنة والسيطرة .

العـــلاقـــات الدوليـة

فى ظل التطور العالمى الذى يشهده العالم الآن، يبرز مصطلح العلاقات الدولية فى إشارة إلى دراسة التأثيرات المختلفة على صناع السياسة الرئيسية وتحليل مجموعة العوامل التى تشمل الدولة وسياسات القوى والمنظمات والرؤى الاقتصادية وغيرها.

مفهوم العلاقات الدولية:

ويقصد بالعلاقات الدولية دراسة منهجية منظمة لتفاعلات الدول وغيرها من الفاعلين الدوليين والأدوات التى تستخدمها فى علاقاتها مع بعضها البعض وفى التأثير على المجتمع الدولى [١٨].

ويرتبط بطبيعة العلاقات الدولية فى النظام العالمى المعاصر عدد من السمات أهمها:تعدد الفاعلين الدوليين على الساحة الدولية، وتغير مدلول القوى حيث تعد القوة العسكرية هى المفهوم التقليدي للقوة كذلك نما نوعا من الترابط الدولى وتناقص المسافات والاعتماد المتبادل بين الدول وبعضها فى الوقت ذاته والذى زادت فيه الصراعات والفوضى والرغبة فى فرض السيطرة والنفوذ على المراكز والدول الأقل نموا.

ومن شدة تعقد اتجاهات العلاقات الدولية صارت دراستها تتطلب التعامل مع مناهج ومداخل ووضعت لها نظريات خاصة مثل: نظرية النظم والتى فسرها مورتون كابلان Morton Kaplan بان النظام الدولى يتكون من ست نظم فرعية هى:

١- نظام توازن القوى.

٢- الثنائية.

٣- الفاعل العالمى.

٤- النظام الدولى.

٥- النظام الهرمى.

٦- نظام الفيتو اى حق الاعتراض.

وكذلك هناك نظرية التدرج الهرمى ثم نظرية القوة Power والتى تعتبر القوة هى المبدأ الرئيسي لفهم السياسة الواقعية،وهناك نظريات الصراع والتكامل والنظريات المعيارية Norms التى تصف السلوك الفردى أو سلوك الدول وفقا لمعايير وقواعد أخلاقية[١٩].

ونظرا لان هذه العلاقات ذات طبيعة دولية فكل اهتمامها هو دراسة كل ما يتصل بالجماعة الدولية سواء كانت وحدات هذه الجماعة الدولية دولا أو مجرد وحدات ؛وقد تضمنت تقارير المؤتمرات العلمية التى نظمتها هيئة اليونسكو لبحث موضوع العلوم السياسية إن مادة العلاقات الدولية تمتد لتشمل ثلاث فروع ولكنها متصلة وهى:

أ-السياسة الدولية:وتتعلق بالسياسات الخارجية للدول.

ب-التنظيم الدولى:ويشمل دراسة المنظمات الدولية والعالمية والإقليمية أو الفنية.

ج-القانون الدولى:ويشمل دراسة القواعد القانونية التى تنظم علاقات الدول ببعضها[٢٠].

حتى انه من الممكن تفسير ظاهرة الشركات عابرة القومية أوالشركات متعددة الجنسيات كنمط من أنماط التنظيمات الدولية أوالعلاقات الدولية... وهى فى ابسط تعريف لها:إنها الشركات التى لها استثمارات مباشرة فى عدد من الدول يحددها البعض بخمس شركات على الأقل ويكشف نشاطها عن العديد من المؤشرات الدولية؛ فعلى سبيل المثال:تشير إحصائيات إلى إن حجم مبيعات كل شركة من الشركات متعددة الجنسيات الكبرى يزيد على اجمالى الدخل القومى لكل دولة من ثلاث وسبعين دولة أعضاء فى البنك الدولى(٢١).

السـياسة الخـارجـية

- المقصود بالسياسة الخارجية إنها مجموعة الأفعال وردود الأفعال التى تقوم بها الدولة فى البيئة الدولية سعيا نحو تحقيق أهدافها وذلك فى إطار قيام الدولة بوظيفيتين رئيسيتين هما:

- **إدارة الصراعات الدولية.**
- **تعبئة المـوارد القومية.**

ويمكن تعريف السياسة الخارجية فى دولة ما:بأنها تنظيم نشاط الدولة فى علاقاتها مع غيرها من الدول وقدم والتر ليبمان W.Lippman ما يكاد يكون معادلة تتكون منها السياسة الخارجية.حيث قال: إن السياسة الخارجية هى العمل على إيجاد توازن بين الالتزام الخارجى لدولة ما، والقوة التى يلزم تنفيذها هذا الالتزام(٢٢).

ويستمد بحث السياسة الخارجية أهميته من حقيقتين:

الأولـى: إن السياسة الخارجية تعد مصدرا هاما من مصادر الشرعية للنظم السياسية فى كثير من الدول وهذا يعبر عن التداخل الشديد بين السياسيتين الخارجية والداخلية.

الثانية: السياسة الخارجية لدولة ما هى ردود أفعال للسياسة الدولية أو العلاقات الدولية التى هى تمثل مجموع السياسات الخارجية لأعضاء المجتمع الدولى.

فالسياسة الخارجية لدولة ما هى ردود أفعال للسياسة الدولية أوالعلاقات الدولية التى هى تمثل مجموع السياسات الخارجية لأعضاء المجتمع الدولى.

كما إن السياسة الخارجية،هى مزيج من مصالح أو تصورات عدة قد تكون مترابطة أو لاتكون.

ولقد درج المنشغلون بعلم السياسة الخارجية إن يتحدثوا عن خطط وأهداف طويلة المدى ، فعلى المسئولين عن صنع القرار إن يختاروا بين جملة خيارات بين عدد من الاستجابات والمبادرات مابين السياسة الدولية والمحلية .

ولعل اخطر مأخذ على عملية تكوين السياسة الخارجية هو رفضها فى بعض الأحيان تقبل حقيقة الظروف المتغيرة أو عدم القدرة على التعامل مع الأوضاع الجديدة عند التنبيه لها.

ويذكر انه قد تتعارض القرارات قصيرة المدى وأحيانا طويلة المدى مع السياسة الخارجية لدولة ما مع القيم الراسخة لهذه الدولة فمثلا انهالت الأسلحة الروسية على سوريا عقب الغزو الاسرائيلى للبنان عام ١٩٨٢، بالرغم من إن سوريا تناهض الشيوعية.

فمن الإنصاف فى واقع السياسة الخارجية القول أن: (صديق عدوى هو عدوى وعدو عدوى هو صديقى.) (٢٣) .

صناعة السياسة الخارجية

ظواهر العلاقات الدولية ومن بينها عملية السياسة الخارجية Foreign Policy Processe هى ارتباطية تؤثر وتتأثر وتتفاعل مع المتغيرات الأخرى، فالسياسة الخارجية لاى دولة تدور حول تحقيق مجموعة من الأهداف فى مقدمتها؛ حماية الأمن القومى، النمو الاقتصادى، طلب القوة، الزهو العقائدي....إلى أخره.

ويمكن تحديد عناصر السياسة الخارجية فى :

- **المصلحة الوطنية**

- أهداف السياسة الخارجية

- برامج العمل والتى تنقسم إلى:

- أحلاف وارتباطات، مسائل عسكرية، مسائل اقتصادية، مسائل دبلوماسية ، دعاية واتصال .

وعنصر المصلحة الوطنية هو أهم عناصر السياسة الخارجية فكل العوامل هى مدخلات In Put من اجل مخرج اساسى Out Put وهو المصلحة الوطنية التى يجب إن تخدمها السياسة الداخلية والخارجية فى إن واحد،حيث إن السياسة الخارجية هى امتداد منطقى للسياسة الداخلية.

وسائل تنفيذ السياسة الخارجية:

وتتعدد الوسائل التى بمقتضاها تسعى اى دولة إلى تحقيق وتنفيذ خططها المختلفة فى السياسية الخارجية وتتحدد ابرز هذه الوسائل فيما يلي :

- سياسات القوى وميزان القوى.

- الدبلوماسية وإدارة الشئون الخارجية ويرتبط بذلك الفاعلون فى الدبلوماسية المعاصرة.

- الوسائل الاقتصادية مثل:الرقابة والحظر التجاري والتعريفات الجمركية والتأميم والتجميد والمساعدات.

- الوسائل العسكرية:مثل الإمكانيات الحربية والأحلاف العسكرية وحروب العصابات.

- الاتصال الدولي:والذى هو محصلة قوتين:قوته الذاتية، وقوة أخرى يستمدها من العوامل المتفاعلة معه(٢٤).

حيث يعد الاتصال الدولى وسيلة فعالة من وسائل السياسة الخارجية للدول إلى جانب الوسائل السياسية والاقتصادية والعسكرية ويسعى الاتصال الدولى إلى تحقيق أهداف السياسات الخارجية من خلال المؤسسات الاتصالية الموكل إليها ممارسة الاتصال الدولى وقيام البعثات الدبلوماسية بوظائف دعائية ،كما انه يتم من خلال وكالات الأنباء الدولية والإذاعات والتليفزيونات الدولية أيضا مما يعكس مدى الارتباط الوثيق الذى يربط بين خطط النظم السياسة فى الدولة على المستوى الداخلى والخارجي مع السياسات الإعلامية بهذه النظم وتطابقها أو تكاملها واعتمادها على النظم الإعلامية التى تقوم عليها.

١ -Thomas Dye, understanding public policy, prentice hall,١٩٧٢,New Jersey,p:١١

٢- كمال المنوفي، أصول النظم السياسية المقارنة ،شركة الربيعان للنشر والتوزيع، الكويت،١٩٨٧،ص:،٣٣.

٣-عبد المجيد شكرى ،فنون الراديو فى ضوء متغيرات العصر،طنطا للمهمات المكتبية،جمهورية مصر العربية،١٩٩٠،ص:٣٤.

٤- كمال المنوفي، أصول النظم السياسية المقارنة، مرجع سابق ،ص ص:٣٩-٤٢.

٥ -David Easton, a framework for political analysis, prentice hall,١٩٧٢,new jersey,P:٥٧.

٦- كمال المنوفي، أصول النظم السياسية المقارنة، مرجع سابق ،ص ص:٣٩،-٤٢

٧- محمد علىالعوينى ،أصول العوم السياسية ، عالم الكتب ، القاهرة ، ١٩٨١ ، ص ص: ٥١-٥٣ .

٨ -David Apter, some conceptual approaches to the study of modernization, prentice hall,١٩٧٢,new jersey pp:٢٥ -٤٧.

٩ -Max Weber, the theory of social and economic organization, oxford,london,١٩٦١,pp:٣٢٤ -٣٤٢.

١٠ -S.HOOK, towards the understanding of Carl Marx, new york,١٩٧٣,p:٣٥.

١١- كمال المنوفي، أصول النظم السياسية المقارنة، مرجع سابق ،ص ص:٣٩،-٤٢

١٢ -Branded crick, basic form of government, a sketch and a model ,Macmillan ,London, ١٩٧٣, p:٧٤.

١٣- محمد علىالعوينى ،أصول العلوم السياسية ، مرجع سابق ، ص ص :١٨٤- ١٨٩،

١٤ - ريتشارد هاس وميجان اوسوليفان (محرران) العسل والخل -الحوافز والعقوبات والسياسة الخارجية ،مركز الأهرام للترجمة والنشر ، القاهرة ،٢٠٠٢، ص ص:٣ -٢٤,.

١٥ - نفس المرجع السابق ، ص ص:١٢٠ -١٢٣,.

١٦ - حنان يوسف ، البرنامج النووى الاسرائيلى ، مجلة القدس ، مركز الاعلام العربي ، القاهرة ، عدد (٣٣) ،٢٠٠٣ ،ص ص: ١٧-٢٥,.

١٧ – Robert Ross, china ,economic sanctions and American diplomacy, council on foreign relations press, new york,١٩٩٨,pp:١٠ -٣٤.

١٨- السيد عليوة،إدارة الصراعات الدولية،سلسلة الإلف كتاب ،عدد٥٥،الهيئة العامة للكتاب ،القاهرة،١٩٨٨،ص:١٣.

١٩ -groom. a.j., Mitchell, c,r ,international relations theory , a bibliography, francs printed ltd.,london,١٩٧٨.

٢٠-بطرس بطرس غالى،محمود خيرى عيسى،المدخل فى علم السياسة،ط/٧ ،الانجلو،القاهرة،١٩٨٤،ص:,٧

٢١-حمدى حسن، الإعلان الدولى واقتصاديات وسائل الاتصال، دراسة فى تأثير العائدات العالمية الدولية فى سياسات وسائل الاتصال، مجلة البحوث الاتصالية، جامعة الأزهر، القاهرة، عدد:١٩٩٥،٣،ص:٣٨.

٢٢- حنان يوسف ، المعالجة الإخبارية للقضايا العربية فى شبكتي **cnn** و **euro news** رسالة دكتوراة غير منشورة ، كلية الإعلام ، جامعة القاهرة ، ٢٠٠١، صص : ٢٣١-٢٦٥,

٢٣- روبرت -كانتور،السياسة الدولية المعاصرة،ترجمة:د.احمد ظاهر،مركز الكتب الاردنى، الاردن، ١٩٨٩،ص.,٤٠٩

٢٤- محمد على العوينى،أصول العلوم السياسية، مرجع سابق ، ص:٢٠٥-٢١٠.

الفصل الثانى
النظــم الإعــلامـية

- النظم الإعلامية والنظريات الإعلامية

- النظــام الاعــلامى الشـــرقى

- النظــام الاعــلامـى الغــربى

- النظــام العالـمــى الجـديد للإعلام

- السيطــرة الإعـلامية الأمـريكـية

- التبعية الإعلامية فى العالم العربى

النظم الإعلامية و النظريات الإعلامية

يصعب القول على وجود اتفاق عام على تحديد واضح لكلا المفهومين حيث إن هناك نوع من الخلط مابين مفهوم النظم الإعلامية و مفهوم النظريات الإعلامية الأخير ظهر فى نهاية الخمسينيات و بداية الستينيات حيث شاع القول بوجود أربع نظريات للصحافة و الإعلام و هى : السلطة ، الحرية، الشيوعية ، والمسئولية الاجتماعية وهى تقوم على تصورات فكرية و ليست قوانين علمية تم التوصل إليها بأدوات و مناهج بحث علمية .

إما النظام الاعلامى فهو بشير إلى خمسة إبعاد : الفلسفة الإعلامية التى يقوم عليها النظام الاعلامى و هى مجموعة المبادىء الأسس الفكرية , ثم السياسات الإعلامية , و هى البرامج التطبيقية للفلسفة الإعلامية , ثم الإطار القانوني الذى يترجم الفلسفة الإعلامية إلى تشريعات تحكم العمل فى المؤسسات الإعلامية , ثم البنية الاتصالية الأساسية و تشمل : تكنولوجيا الاتصال و الموادر البشرية الاتصالية الأساسية و تشمل مستوى تكنولوجيا الاتصال و الكوادر البشرية المتاحة و الإمكانيات المادية و غيرها ... وأخيرا تأتى الممارسات الإعلامية فى الواقع الفعلى .

فالنظام الاعلامى فى مجتمع ما , ليس سوى انعكاس للنظام السياسى و الاجتماعى و الثقافى الحضارى السائد فى هذا المجتمع ودرجة التطور الحضارى به , وقد حال التعدد فى النظم السياسية من إقامة نموذج اعلامى واحد و انتهى الأمر بوجود نظامين إعلاميين على المستوى الدولى و هما:

١- النظام الاعلامى الغربى انعكاسا للنظام الليبرالي .
٢- النظام الاعلامى الشرقى انعكاسا للنظام الاشتراكي

إلا إن كلا النظامين يعد إنتاج لحضارة واحدة و هى الحضارة الغربية الحديثة بإيديولوجيتها المختلفة[١].

أولا: النظام الإعلامى الغربى:

تمثل الولايات المتحدة الأمريكية المركز الرئيسي فيه و تنتمي إليها مراكز اقل أهمية داخل نفس النظام من دول غرب أوربا و كندا واليابان و استراليا , فى حين تمثل الدول النامية الخاضعة للنفوذ الغربى , الإطراف الثانوية التابعة٠

ويقوم التصورالفكرى لهذا النظام علىالفلسفة الليبرالية بجناحيها الاقتصادى ويتمثل فى الرأسمالية والسياسى ويتمثل فى الديمقراطية٠

وينطلق النظام الاعلامى الغربى من حق الفرد فى المعرفة , مع الأخذ بالتعددية الاتصالية و الملكية الفردية لوسائل الاتصال و رفض إيه قيود تأتى من خارج هذه الوسائل .

إلا إن الممارسة العملية لهذه التجربة أثبتت إن هذه الحرية هى حرية متحيزة لصالح من يملكون الوسيلة الاتصالية, وسيطر الطابع الاحتكاري التجاري وفرض نوع من الرؤى المتشابهة للقضايا والإحداث و التى تتطابق مع سياسات ومصالح الاحتكارات التجارية.

فوسائل الاتصال أصبحت تعتمد على الإعلانات و تسعى لجنى الإرباح و ترسيخ دعائم مجتمع الملكية الخاصة الاستهلاكية [٢].

ورغم بعض المساعي الحميدة لإيجاد نوع من الليبرالية الإعلامية التى تربط بين الحرية من ناحية والمسئولية الاجتماعية من ناحية أخرى **Social Responsibility Theory** إلا إن الطابع الاحتكاري يظل مسيطرا على وسائل الإعلام الغربية بل و ينعكس أيضا على بقية الأنظمة الاتصالية .

ثانيا : النظام الإعلامى الشرقى :

يمثل الاتحاد السوفيتى السابق المركز الرئيسي فى النظام الاعلامى الشرقى وانتمت إليه مراكز اقل أهمية بين دول شرق أوربا فى حين تشكل بعض الدول

النامية الخاضعة للنفوذ الشرقى , الإطراف الثانوية التابعة .

وشكلت الفلسفة الماركسية اللينينية الإطار الفكرى للنظام الاعلامى الشرقى وتقوم على نقد الليبرالية و اتهامها باستغلال البرجوازية للطبقة العاملة، بينما يقوم البناء السياسى الاشتراكى على ديكتاتورية البروليتاريا ممثلة فى الحزب الشيوعى .

ووسائل الاتصال وفقا لهذا المفهوم هى أداة و سلاح ايديولوجى لتحقيق الأهداف الاشتراكية وفى مقدمة ذلك الملكية العامة و الاجتماعية لوسائل الاتصال كضمان لعدم استغلال هذه الوسائل من قبل الاحتكارات الرأسمالية و الطبقة البرجوازية [٣]

فهناك التزام معلن لوسائل الاتصال فى النظام الشرقى بالارتباط بقضايا و مشكلات المجتمع و بالأيدلوجية الاشتراكية.

إلا إن هذا النظام لم يستطع إن يخفى هويته السلطوية فهو صورة معدلة من النظام السلطوى فى حيز الرقابة المفروضة و كذلك سيطرة و خدمة حزب أو جماعة بعينها كخدمة الحاكم أو الفرد فى النظام السلطوى رغم الصياغات البراقة للنظام الاعلامى الاشتراكى [٤].

إلا إن أعباء سباق التسلح و البيروقراطية و انعدام الحريات أدت إلى إحداث نوع من الثورة داخل المجتمعات الاشتراكية ٠٠ كانت ذروتها حركة البروسترويكا و الجلاسنوست (إعادة البناء) التى قادها جورباتشوف فى ١٩٨٥ وكانت أولى خطوات انهيار النظام الاعلامى الشرقى و انسياقه فى تلك القطبية الأحادية الغربية بزعامة الولايات المتحدة الأمريكية [٥].

ويمكن القول إن طبيعة اى من النظامين السابقين تتوقف مدى فعاليتها على حجم المعلومات والحريات المتوافرة داخل النظام الاعلامى والذى هو انعكاس للنظام السياسى وهو الأمر الذى يسمح ببقاء هذه الأنظمة واستمرارها.

ويرى ديفيد ابتر إن عدم اكتمال دائرة المعلومات فى العملية الاتصالية , أو النقص فى المعلومات التى يجب إن تحملها يؤثران بشكل سلبى فى فاعلية القرار السياسى ,و فى فاعلية النظام السياسى ذاته ٠

ويعقد ابتر مقارنة بين التدفق الاعلامى فى النظم السياسية للدول الديمقراطية والدول النامية, حيث تكون دائرة المعلومات فى الأولى غالبا مكتملة ومستمرة, كما إن تنافسها فى طرح البدائل من خلال نظام اتصال غير قائم ولاشك إن ذلك سيؤثر فى القرار السياسى ومدى رشده ويؤثر فى الاستقرار السياسى كذلك[٦].

النظام العالمى الجديد للإعلام

تشير الإرهاصات الحالية للنظم العالمية إلى إن النظام العالمى ثنائى القطبية(الغربى والشرقى) قد مر بمراحل تشكل عدة خلال أربعة عقود منذ اتفاقية يالتا والتى دعت إلى إيجاد صيغة للاقتسام والتعايش ثم مرحلة المواجهة والسباق النووي فالتعايش الاستراتيجى والسيطرة على المناطق الطرفية حتى ظهور سباق التسلح النووي ومحاولات الحد منه، إلا إن انهيار الاتحاد السوفيتى على يدى جورباتشوف فى الثمانينات من هذا العقد وعدد أخر من المتغيرات والتوازنات العسكرية والاقتصادية والسياسية اظهر الصفة الحاكمة للنظام العالمى الجديد الآن وهى أحادية القطبية من خلال هيمنة القطب الواحد وتمثله الولايات المتحدة.

فالولايات المتحدة تملك مقومات فرض سيطرتها العسكرية والسياسية والاقتصادية على المنطقة الطرفية بما فيها الدول الأكثر تقدما إضافة إلى سيطرتها على المؤسسات والآليات السياسية والاقتصادية لخدمة أهدافها وتحقيق توازناتها القومية والدولية.

فمع نمو ظاهرة النظام العالمى الواحد والتى انعكست على المجال الاتصالى قد خلف ما يسمى ظاهرة النظام الاعلامى الدولى الواحد وتحول القطب الامريكى بالتدرج إلى القطب المهيمن على هذا النظام الواحد حيث تنامت قدراتها الإعلامية مع تحول النظام الدولى من الطابع الثنائى إلى طابع النظام الواحد[٧].

فالولايات المتحدة الأمريكية تحتل المرتبة الأولى فى توزيع برامج التليفزيون تليها انجلترا ثم فرنسا وألمانيا فاليابان.

ويفسر البعض ذلك بان :إذا ما كانت الولايات المتحدة لم تسعد باستعمار سياسى كبعض الدول الأوروبية وفشلت فى الاحتلال العسكرى فى فيتنام فإنها عن طريق التليفزيون والسينما استطاعت إثبات وجودها كقوة مستعمرة من نوع جديد أطلق عليه:

استعمـــارالكـــوكا Coca-Cola-Nise(٨).

ومن ابرز تداعيات هذا المفهوم الجديد فى الأحادية القطبية للإعلام من شأنه:إن يهدد بالقضاء على الذاتية الثقافية المستقلة لبقية الشعوب وخاصة مع سيطرة الثقافة الأمريكية التى تعتمد على الاستهلاك وعنصر الربح والترفيه.. كما انه سيحول بقية الشعوب إلى تابع يستهلك ويسود رأى عام عالمى يلبى مصالح القطب الواحد ويحقق إغراضه مما لايتيح الظروف المناسبة لإيجاد رأى عام عالمى ومستنير يعى الإحداث والقضايا الدولية ويساعد فى حلها.

ورغم إن تلك السلبيات تبدو واضحة للعيان؛ إلا إن البعض يرى إن الإعلام الكونى من شأنه إن يسمح بإقامة حوار دائم ومباشر بين الشعوب وان يوحد بين الثقافات المختلفة ويسمح بتبادل نفس المعلومات والآراء والأفكار مما يساعد فى الفهم المشترك، إلا إن هذه الرؤية يشوبها العديد من العقبات فى ظل المتغيرات الراهنة(٩).

أسباب تفوق الاتصال الأمريكى:
ويمكن تفسير التفوق الأمريكى فى المجالات التليفزيونية وفنونها فى ضوء العوامل التالية:
- قدم ظاهرة السينما الأمريكية إلى وضعت استوديوهاتها وكوادرها تحت تصرف التليفزيون .
- استقرار الولايات المتحدة فى بداية عهد التليفزيون فقد اشتعلت الحرب العالمية الثانية بعيدا عن الاراضى الأمريكية.
- ازدهار البحوث الخاصة بالعلوم الإنسانية فى أمريكا لتوافر الإمكانيات .

- ساعدت الحكومة الأمريكية الهيئات المختصة على تطوير البحوث الخاصة بالتليفزيون .

ورغم أن العالم يشهد الآن مولد نظام اعلامى دولى جديد يقوم على هيمنة القطب الواحد – السيطرة الأمريكية – بعد انهيار القطبية الثنائية للنظامين الإعلاميين الغربى و الشرقى ، إلا أن كل تلك الأنظمة تتناقض و بشكل جذري مع النظام الحلم الذى سعت إلى أقامته دول العالم الثالث منذ منتصف السبعينيات واقره المؤتمر العام لليونسكو فى مطلع الثمانينيات ؛ و الذى يقوم على تعديل أسلوب تدفق **الإعلام** الدولى ليكون أكثر عدلا و توازنا بين الدول المتقدمة و الدول النامية

التبعية الاعلامية فى العالم العربى:

عند محاولة الوصول إلى نظرية إعلامية للعالم العربى يتضح أهمية الابتعاد عن النظريات الجاهزة وعدم تطبيقها على الإعلام العربى لأنها تنبع من واقع مختلف وتستند إلى قيم وحقائق وأفكار مجتمعات ذات تاريخ مختلف.

إلا أن الباحثين فى نظم التبعية يرون أن تخلف العالم الثالث أو تبعته بمعنى أدق للعالم الرأسمالى المتقدم يرجع إلى خضوعه للسيطرة الاستعمارية لعدة قرون وقد تشكلت الأنظمة السياسية والأوضاع الاجتماعية والثقافية فى دول العالم الثالث من خلال وصفها كمجتمعات تابعة داخل النسق العالمى، وان كانت هذه التبعية تستمد جذورها التاريخية من المرحلة الاستعمارية السابقة فان استمرارها يتأكد بفعل مجموعة من القيم والمقومات الموضوعية والذاتية مثل؛ التفاوت فى مصادر القوة والنفوذ بين الدول الصناعية المتقدمة والتى تحتكر مصادر القوة العسكرية والاقتصادية والسياسية والثقافية والإعلامية وبين الأغلبية الساحقة من شعوب العالم التى تفتقر إلى الحد الأدنى من هذه المصادر. وتتركز المصادر الإعلامية والثقافية من حيث الإنتاج والتوزيع بكافة أشكاله فى نفس الدول التى تحتكر مصادر الثروة الأخرى.

اما غالبية الدول من العالم الثالث فهى تستقبل ما ترسله إليها هذه الدول ونتج عن ذلك عدم توازن ملحوظ فى تبادل المعلومات والإنباء بين الأقلية من الدول الغربية المسيطرة على وسائل الإعلام والأكثرية من الدول النامية.

وكذلك يصبح تدفق المعلومات فى اتجاه واحد من العالم الصناعى المتقدم إلى العالم الثالث ومن هذه العلاقة غير المتكافئة تبرز الحلقة الرئيسية وهى التبعية التى تسود أغلبية دول العالم الثالث ولعل اخطر أنواع التبعية هى ما يتعلق بمضمون الوسائل الإعلامية وابرز ما يميزها؛هو انعدام العلاقة بين مضمون المواد الإعلامية وبين الواقع الاجتماعى والثقافى السائد فى الدول النامية ، وطبيعة المشكلات التى تواجه هذه الدول^(١١).

وعليه فان مسألة النظم الإعلامية المختلفة تفرض دلالات واضحة على مدى التقارب ما بين النظام السياسى الموجود فى الدولة أو السائد فى الإقليم وبين ملامح النظام الاعلامى الموجود والذى يسعى من خلال أدواته المختلفة إلى تنفيذ منهجية وفلسفة هذا النظام السياسى بشكل أو بأخر .

مراجع الفصل الثانى

١- فاروق أبو زيد ،انهيار النظام الاعلامى الدولى،من السيطرة الثنائية إلى هيمنة القطب الواحد،إخبار اليوم،١٩٩١،صص:١١-١٣.

٢- شيللر.م.هيربرت،المتلاعبون بالعقول،عالم المعرفة،الكويت،١٩٨٦،ص ص:٣٠-٣١.

٣- فابر فرانز:الصحافة نظرية وممارسة(اتحاد الصحفيين السوريين وجمهورية ألمانيا الديمقراطية دمشق/ ،١٩٨٤،ص ص:١٣-,٢٣

٤ - dimitro v.george:the press is a great force,international organization of journalists,prague,١٩٧٣,pp:١٢-٢٣

٥- حنان يوسف ، المعالجة الإخبارية للقضايا العربية فشبكتى **Cnn & Euronews** ، رسالة دكتوراة غير منشورة ، كلية الإعلام ، جامعة القاهرة ،٢٠٠١ ، ص ص: ١٢١-,١٣٨

٦- -بسيونى حمادة، دور وسائل الاتصال فى صنع القرارات فى الوطن العربى ،مركز دراسات الوحدة العربية،بيروت،لبنان،١٩٩٣،ص:,٥٢

٧- عصام الدين جلال،اثار تجميد صفة الأحادية القطبية على المصالح العربية،الأهرام،القاهرة،١٩٩٩/٦/٩،ص.٢٣.

٨--انشراح الشال، دراسات فى علم الاجتماع الاعلامى،مدخل فى علم الاجتماع الاعلامى،نهضة الشرق ،القاهرة،١٩٨٥،ص:١٦٦.

٩- لمزيد من التفاصيل انظر :

- ماك برايد ، تقرير اللجنة الدولية لدراسة مشكلات الاتصال،أصوات متعددة وعالم واحد،الشركة الوطنية للنشر والتوزيع ،الجزائر،ص:٢٦٤-٢٦٥.

-unesco general conference, summery report,١٩th session , nairobi,١٩٧٦.

- مصطفى المصمودى،النظام الاعلامى الجديد،المجلس الوطنى للثقافة والفنون والآداب،عالم المعرفة،الكويت،١٩٨٥،ص ص:٩٣-٩٦.

- محمد فتحى،عالم بلا حواجز، الهيئة المصرية العامة للكتاب،القاهرة،١٩٨٢،ص ص:٨٥-٨٦.

-جيهـان رشتى ، الإعلام الدولى ، دار الفكر العربى ، ١٩٨٦ ، ص : ٣٣٠.

- Hester , international information flow in merrill & fischer , h. (eds.) , international * intercultural com. N.y , hasting house publishers , inc., ١٩٧٦ , pp : ٢٤٢ – ٢٥٠.

١٠- منى الحديدى ، وشاهيناز طلعت ، التوازن المفقود فى المعلومات ، دراسة تحليلية ميدانية ، الأهرام الاقتصادى ، ١٩٨٧/٩/٢٨ ، ص. ٦٦ , ٧٣.

١١- انظر :

أ)-الإعلام العربى.حاضرا ومستقبلا، تقرير اللجنة العربية لدراسة قضايا الإعلام والاتصال فى الوطن العربى، تونس، المنظمة العربية للتربية والثقافة والعلوم ،إدارة الإعلام،١٩٨٧،ص:٦٢.

ب)-عواطـف عبـد الـرحمن ،قضـايا التبعيـة الإعلاميـة والثقافيـة فى العـالم الثالث،عـالم المعرفة،العـدد ٧٨،الكويـت،المجلس الـوطنى للثقافـة والفنـون والآداب،١٩٨٤.

الفصل الثالث
نظرية الاعتماد
(الإعلام ـ السياسة)

- علاقة الاعتمادية بين لاتصال والسياسة.
- مدخل الاعتماد المتبادل ما بين الفرد والوسيلة والمجتمع Dependency Theory
- علاقة التبعية: المصادر ـ الأهداف.
- الاعتماد بين النظام السياسى والنظام الاتصال.
- الأثر المتموج للتغيير.

علاقة الاعتمادية بين الاتصال السياسة

من المؤكد أن هناك ثمة اعتماد متبادل ما بين النظام والبيئة حيث أن تشكيل وأداء النظام السياسى لا يمكن أن يتم بمعزل عن معرفة الأساس البيئى بعناصره الطبيعية والتاريخية والاقتصادية والاجتماعية والثقافية (١).

لذلك فإعلام كل دولة إنما يعبر عن فكر وفلسفة النظام السياسى أو الأيديولوجية السياسية السائدة فيه ،بل أن نظريات الاتصال ذاتها تتحرك فى إطار الأنظمة السياسية المختلفة ،وتنتهج مبادئها وتنفذ تطبيقاتها سواء كانت:

- نظرية السلطة **Authoritarian Theory**
- نظرية الحرية **Libertarian Theory**

نظرية المسئولية الاجتماعية **Socia Responsibility Theory** وغيرها .

مدخل الاعتماد المتبادل ما بين الفرد والوسيلة والمجتمع

- **Media- audience& society Dependency -theory**

من ابرز التحولات الهامة فى بحوث التأثير المحاولة التى قام كل من ملفن دى فلور وساندراروكيتش**Melvin de fieur & s.b.rokeach** فى وضع ملامح جديدة لبناء نظريات الإعلام وتقديم نظرة شاملة ومتكاملة لدور هذه الوسائل فى إطار ما يسمى بالنظريات المتكاملة **Integrated Theories** وقد عرفت هذه النظرية باسم الاعتماد على وسائل الاتصال **Media Dependecy** وهى تعد من بين النظريات المتكاملة لأنها:

- تضمن بعض العناصر من علم الاجتماع وبعض المفاهيم من علم النفس.

- تفسر العلاقات السببية بين الأنظمة المختلفة فى المجتمع مما يؤدى إلى تكامل هذه الأنظمة مع بعضها.

-تعتبر من النظريات البنائية التى تقوم على إن المجتمع تركيب عضوى تتعدد فيه الأنظمة (صغيرة وكبيرة) وتترابط وتتفاعل سويا ومن بينها وسائل الإعلام

التى ترتبط بالإفراد والجماعات والنظم الاجتماعية الأخرى بعلاقات متبادلة [٢].

- جمع بين العناصر الرئيسية لنموذج الاستخدامات والاشباعات **Uses & Gratifications** من جانب ونظريات التأثير التقليدية من جانب أخر فهى أعمق في التناول والأبعاد من نموذج الاستخدامات والاشباعات الذى يركز فقط على أين يذهب الجمهور لإشباع احتياجاته بينما يركز الاعتماد على :

لماذا يذهب الجمهورالى وسيلة معينة لإشباع احتياجاته؟

فهى نظرية تسعى نحو التفسير على المدى الطويل سواء على مستوى الفرد أو الأنظمة وتبرز دور العلاقات التكاملية بين هذه الإطراف وبعضها.

ورغم إن واضعي النظرية (دى فلوروروكيتش)قد استهدفا منها فى المقام الأول :العلاقة الاعتمادية مابين الميديا والنظام السياسى؛إلا انه من المثير للدهشة إن معظم دراسات هذا النموذج على المستوى العربي قد اقتصر فقط على بحث علاقة اعتماد الأفراد على الوسيلة الاتصالية ؛ رغم ضرورة توجيه الاهتمام إلى ثنائية الهدف من النموذج بدراسة:

١- حجم الاعتماد مابين النظام السياسى والنظام الاتصالى .

٢- وكذلك حجم الاعتماد مابين الفرد والوسيلة .

مفهوم الاعتماد:

- عرف بييرو سامون فى عام٨٨ : الاعتماد على الميديا على انه عملية توظيف للمعلومات التى تم التعرض لها لاتخاذ القرار بشان موضوع ما[٣] **Pierre&Sammon** اما بالمجرين **Palmegreen** فقد رأى إن مفهوم الاعتماد على الميديا ينتج السلوك الاتصالى للأفراد , ويزداد اعتماد الفرد على وسيلة معينة لاستيفاء معلوماته , كلما نجحت هذه الوسيلة فى تلبية احتياجاته و إشباع رغباته .

بينما كان مفهوم الاعتماد على الميديا السياسية عند تان **Tan,٨٠** انه عملية توظيف المعلومات التى تم التعرض لها بشان اتخاذ قرار ما فى موضوع معين ٠

ويقيس بيكر ويتنى ٨٥ **Becker & Whitney** مفهوم الاعتماد من خلال:-

ا-معدل تكرار التعرض للمعلومات فى وسيلة ما ٠

ب-التقدير الشخصى للإنسان و تفضيلات كل فرد لوسيلة بعينها [٤]٠

فالمسالة إذن هى عبارة عن كيان من العلاقات تبدأ من تأثير النظام الاجتماعى على المؤسسات الاتصالية ثم تاثيرهما على أفراد المجتمع و القائمين بالاتصال بشكل خاص .

وتأثيرات الميديا على المعرفة تكون مختلفة وفقا لعدد من التغيرات الوسيطة، وهذه العلاقات ليست من بين شخص لشخص فحسب ولكنها تختلف أيضا من دولة إلى دولة أخرى حتى و إن تشابهت هذه الدول فى هياكلها الثقافية و السياسية

علاقة التبعية:المصادر- الأهداف:

ويمكن القول أن العلاقة الرئيسية التى يقوم عليها منطق مدخل الاعتماد المتبادل هى علاقة تبعية - وقد تكون هذه العلاقة مع نظام وسائل الاتصال بشكل اجمالى أو مع أحد مكوناته مثل التليفزيون أو الإذاعة أو الصحافة.

وتقوم علاقات الاعتماد على وسائل الاتصال على الأهداف من جهة والمصادر من جهة أخرى. حيث يرتبط مدى تحقيق الأفراد والجماعات والمنظمات والنظام أيضا لأهدافهم بالتعرض لمصادر المعلومات فى ظل نظام الوسيلة، كما يرتبط مدى تحقيق نظام وسيلة الاتصال لأهدافه بالمصادر التى يتحكم فيها الأفراد والجماعات والمنظمات على التوالي[٥].

وتكمن قوة نظام وسائل الاتصال فى سيطرته على مصادر معلومات نادرة يعتمد الأفراد وكذلك المجموعات والمنظمات والنظم عليها لتحقيق أهدافهم وعلاقة التبعية للأهداف / المصادر هى التى تحدد القدر المناسب من سلطة وسائل الاتصال فى موقف معين [٦].

وعلاقة التبعية هذه ليست ذات اتجاه واحد بل هى ذات اتجاهين ما بين الجمهور واعتماده على وسائل الاتصال لتحقيق أهدافه وبين كذلك مع الوسيلة الاتصالية لنفسها واعتمادها على المصادر التى يسيطر عليها الآخرون لتحقيق أهدافها وبذلك

يمكن القول أيضا إن العلاقة ثلاثية الأبعاد ما بين النظام الاجتماعى الواسع ودور الوسيلة الاتصال داخل ذلك النظام وعلاقات الجمهور بالوسيلة فى الإطار العام للمجتمع.

الاعتماد بين النظام السياسى والنظام الاتصال:

ويمكن تقديم نموذجا للعلاقة ذات الاتجاهين من خلال العلاقة التى تربط بين نظام وسائل الاتصال والنظام السياسى فكلا النظامين يعتمد على الآخر فى الحصول على مصادره وكذلك فى تحقيق أهدافه وهناك تغيير فى علاقات الاعتماد على وسائل الإعلام يمكن تفسيره على النحو التالى :

هناك مصدرين أساسيين للتغيير:الصراع والذى يتجسد فى فرص أعلى للسيطرة على المصادر وخلق علاقات من عدم التوازن لصالح فريق دون الأخر.

والمصدر الثانى فى هذه العملية هو : التكيف وهو موضع الاهتمام الرئيسى للنموذج التطورى (الاجتماعى) حيث إن علاقات الاعتماد المتبادل بين وسائل الإعلام وأجزاء أخرى من الكيان الاجتماعى يجب إن تمر بتغيير من اجل إن تبقى المجتمعات فى بيئات متغيرة ، ويكون مثل هذا التغيير المتكيف بطيئا فى العادة , وغالبا ما يكون غير مخطط, ومن ثم فانه من الصعب إدراكه فى الوقت الذى يقع فيه .

الأثر المتموج للتغيير:

كان لهذه التغيرات فى العلاقة السياسية الكبيرة بنظام وسائل الإعلام اثريشبه التموجات على الوحدات السياسية الأصغر , كالمنظمات السياسية .

ومن جهة أخرى , فان نظام وسائل الإعلام لم يبلغ من القوة ما يجعله قادرا على العمل بشكل تحكمى إزاء النظام السياسي ومنظماته ,كما إن اعتماد وسائل الإعلام على المصادر التى يسيطر عليها النظام السياسى حقيقة بنائية أيضا [٧] .

ويصور الشكل التالى كيف تنتج التغيرات فى علاقات الاعتماد المتبادل لوسائل

الإعلام ما اشرنا إليه من أثار التموجات التى تبدأ من قمة القمع بوضع نظام وسائل الإعلام فى المجتمع , وتنزل إلى أسفل بشكل حلزونى من خلال علاقات اعتماد مع نظم اجتماعية أخرى , ومع منظمات و شبكات شخصية , وأخيرا معا لأفراد .

وسوف تؤثر التغيرات التى تحدث فى مستويات أعلى فى علاقات الاعتماد عند كل المستويات الأدنى ... ومن ثم , فان التغيرات فى الأدوار الاجتماعية لنظام وسائل الإعلام , كالأهمية المتزايدة على سبيل المثال من اجل استقرار و توحيد المجتمع الامريكى ، فان التغيرات يمكن إن تحدث أيضا فى علاقات اعتماد صغيرة , فقد تتموج إلى أعلى بمرور الوقت (من الصغيرة إلى الكبيرة) [٨] .

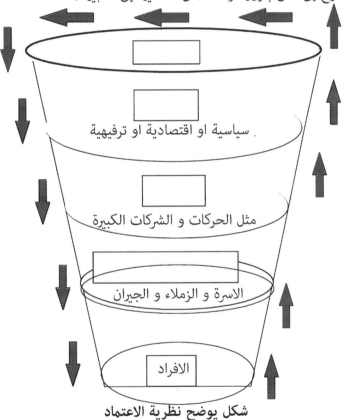

سياسية او اقتصادية او ترفيهية

مثل الحركات و الشركات الكبيرة

الاسرة و الزملاء و الجيران

الافراد

شكل يوضح نظرية الاعتماد

فنظرية الاعتماد **Dependency Theory** تصور الإعلام على انه جزء من النظام العام للدولة ووسائل الاتصال تعمل على إحداث التغيير ولكن ذلك يتم فى إطار النمو الراسمالى للدولة.

ونظرية الاعتماد هى نظرية بناء فى المقام الأول أكثر من كونها ثقافية فيما يتعلق بوسائل الاتصال و لكي تقوم الميديا بدور أكثر ايجابية فى ظل هذا النظام يبنى عليها تغيرات جذرية فيما يتعلق بسبل الملكية و مزيد من الاستقلالية الحقيقية لها لكي يتسنى لها القيام بدور فعال و بشكل خاص فى الدول النامية ٠

وهناك حالة أخرى يزيد فيها اعتماد الأفراد على وسائل الإعلام, وهى الحالة التى ترتفع فيها درجات الصراع أو التغير الذى يحدث فى المجتمع [٩] .

وفى هذه الحالة فان القوى التى تعمل لدعم ثبات البناء فى المجتمع تعمل مع القوى التى ترغب فى التغيير أيضا , حيث يبدأ دعم التوازن بعد إن يحدث التغيير الذى يهدف إلى التحديث و التكيف الاجتماعى مع نتائج التغيير و من ثم ينخفض الصراع و يبدأ دعم التوازن البنائى حيث تسود أهداف التغير الاجتماعى فأنها عادة ما تشمل تحديات بناء معتقدات و ممارسات جديدة ٠

ونظرية الاعتماد بين الإعلام والنظم السياسية قد أدت إلى إحداث عدد من الرسائل الإعلامية السياسية التى تحمل مضامين موجهة بما يمكن إن نسميه الإعلام السياسى حيث تسعى إلى تقديم المضامين والقضايا السياسية المختلفة من خلال الأداء الاعلامى بشكل مباشر وغير مباشر وقد يشترك فى صنعها كل من السياسيين والقائمين بالاتصال فى المؤسسات الإعلامية على حد سواء،

صناعة المشاركة السياسية مفهوم ومجالات المشاركة السياسية :

- من المهم الاشارة الى وجود اتفاق عام ، بان المشاركة السياسية فى مجتمع ما هى محصلة تفاعل العوامل الحاكمة لبيئة المشاركة ثقافيا ، وقانونيا ، وسياسيا ، واجتماعيا ، واقتصاديا .... ومن بين هذه العوامل وسائل الاعلام بملكيتها وتوجهها وادراتها وادائها ومضمونها ومدى حريتها ودرجة تعدديتها .

مفهوم المشاركة السياسية :

- من ابرز من تحدث فى مجال المشاركة السياسية عدد من علماء السياسة منهم هنتجتون **HANTINGTON**، مالبرت**MALBRATH** ، فيربا **VERBA** وغيرهم ونورد ارائهم مع اخرين فيما يتعلق بمفهوم المشاركة السياسية فيرى هنتجتون **HANTINGTON** : ان المشاركة السياسية هى نشاط المواطن الهادف الى التأثير على القرار الحكومى ، ويفسر هذا التعريف على النحو التالى : -

١ - المشاركة نشاط وسلوك وليست اتجاهات ، ويستبعد هنتجتون المعرفة السياسية والاهتمام والاحساس بالفعالية من كونها مشاركة سياسية بالرغم من اعترافه بوجود علاقة بين كل هذه المكونات والفعل السياسى الظاهرى .

٢ - المشاركة السياسية تمثل نشاطا" شخصيا من قبل المواطن العادى وليس للمحترف السياسى الذى يمارس السياسة كمهنة .

٣ - تقتصر المشاركة السياسية على الانشطة الهادفة للتأثير فى صنع القرارات الحكومية ، فهى انشطة موجهة للتأثير فى السلطة التى تملك القرارا النهائى .

٤ - ليس من الضرورى فى رأى هنتجتون - ان تكون انشطة المشاركة قانونية أو تتفق مع معايير النظام السياسى لذلك فالشغب والعنف والمظاهرات تمثل انشطة للمشاركة السياسية

٥ - يفرق هنتجتون بين نوعين من المشاركة :

أ - مشاركة مستقلة : **AUTONOMOUS PART** : وهى النشاط الذى يقوم به الفرد نفسه .

ب - مشاركة بالتبعية : **MOBILIZED PART** وهى النشاط الذى يقوم به شخص تابع متأثرا وخاضعا للمشارك الرئيسى.

- والمشاركة السياسية كما يراها فيربا **VERBA** هى اى نشاط يهدف الى التأثير فى الحكومة ويخرج من هذا التعريف كل اشكال الانغماس النفسى فى عالم السياسة ومنها الوعى السياسى والاهتمام السياسى ، فالاندماج النفسى فى العملية

السياسية شئ والسلوك السياسى شئ اخر على الرغم من ان الاول خطوه لتحقيق الثانى

- ويتفق هنتجتون مع فيربا حول ماهية المشاركة السياسية وضرورة التفرقة بين المكون النفسى والسلوكى ، وهو اتجاه ناقضته دراسات اخرى فمثلا نجد وايز **R. WELSS** يؤكد ان المشاركة السياسية ليست مجرد رغبة أو دافع ولكنها فى حاجة الى معارف ومهارات بنفس الدرجة ، وتتراوح المعلومات من المستوى البسيط الى مستوى التفكير السياسى المجرد ، فهى اكثر من مجرد جامع للمعلومات وانما واع بها مع توافر قدر اكبر من امكانية فهم مغزى الاحداث ومعناها .

اما ميلبرث **MILBRATH** فقد قدم تصورا متكاملا لمفهوم المشاركة وانواعها وقدم فيها هرم ميلبرث للمشاركة السياسية

- المشاركة ظاهرة وخفية
- المشاركة مستقلة ومشاركة بالتذمر احيانا اخرى
- المشاركة تتم سواء مشاركة بالاقتراب أو بالابتعاد
- المشاركة سلوك سياسى عرضى مثل الانتخابات أو مستمر مثل الانتماء الحربى.
- المشاركة تمثل نوعا من العطاء والاخذ فى نفس الوقت من قبل الفرد المشارك .
- المشاركة سلوك سياسى رمزى أوى زارئعى مرتبط بهدف ويسعى للتغيير .
- المشاركة تتطلب استخدام رموز وايضا مهارات لفظية فى بعض الانشطة .
- المشاركة السياسية تتطلب مهارات اجتماعية مثل الاتصال الشخصى ، واحيانا لا تحتاج لهذه الافعال ، والمهارات الاجتماعية الخاصة

ويحدد كمال المنوفى ، محددات المشاركة السياسية للفرد فى الحياة العامة تتمثل فى المنبهات السياسية مثل رسائل الاعلام الجماهيرية والاتصالات الشخصية وكذلك المتغيرات الاجتماعية والديموجرافية التى لها تأثيرها فى تشكيل المشاركةالسياسية ، ثم الاطار السياسى وعناصره الذى تدور فيه المشاركة السياسية .

-وتعددت اراء الباحثين فيما يتعلق بتعريفات مفهوم المشاركة فيرى اندرو
ANDREW : ان المشاركة هى المساهمة فى النواحى السياسية - الاقتصادية
والاجتماعية على اعتبار ان المجتمع مثلث الاطراف ترتبط هذه النواحى الثلاث
وتتكامل مع بعضها ولو ان المجال السياسى اكثر هذه المجالات اهمية كما اكدت
اليونسكو على هذا المفهوم من خلال تحديد دور المشاركة عملية فى التنمية
حيث يذكر تعريفها : ان المشاركة هى عملية اجتماعية شاملة ومتكاملة ،
متعددة الجوانب ذوالابعاد تهدف الى اشتراك كل فرد من افراد المجتمع فى كل
مرحلة من مراحل التنمية فى المعرفة والفهم والتخطيط والتنفيذ والادارة
والاشراف والتقويم وتقديم المبادرات والمشاركة ايضا فى الفوائد والمنافع وعن
فوائد المشاركة بالنسبة للفرد: يقدم محمد بهجت كشك تعريفه الذى يذكر فيه ،
ان المشاركة وهى مشاركة الانسان فى توجيه حياته تؤدى الى نموه واحساسه
بكيانه الشخصى بينما غياب هذه المشاركة تؤدى الى العزلة السياسية
والاجتماعية والى سلب الارادة لتصبح غير ذات معنى .وهنا فان تحقق الهدف
من المشاركة شرط اساسى لهما لانه ربما تتم بالمشاركة دون انجاز للاهداف فتفقد
مضمونها ، فيرى ان المشاركة هى عملية يلعب من خلالها الفرد دورا فى الحياه
السياسية لمجتمعه ، ويكون لديه الفرصة فى ان يشارك فى وضع الاهداف العامة
لذلك المجتمع وافضل الوسائل لتحقيق وانجاز هذه الاهداف. ويركز برلسون
وفيريا والموند على الدور التطوعى الاختيارى فى عملية المشاركة من خلال
احساس المواطن بالمسئولية الاجتماعية فيرون :

-ان المشاركة السياسية هى العملية التى يمكن من خلالها ان يقوم الفرد بدور
فى الحياه السياسية لمجتمعه بقصد تحقيق اهداف التنميه على ان تتاح الفرصة
لكل مواطن ان يساهم فى وضع هذه الاهداف وتحديدها على ان يكون دافع
المواطن دافع ذاتى كعمل تطوعى يترجم الشعور بالمسئولية الاجتماعية تجاه
اهدافهم والمشكلات المشتركة لمجتمعهم . اما فريد وستين ويلوسبى ، FREED
STAIN , POLSBY، فيضيفون ان المشاركة ليست مجرد عملية نقل وابلاغ
حاجات المواطنين الى الحكومة ولكنها ايضا التأثير على سـلوك الحكـام ، وذلك
بتوصيل معلومات عـن الاولويات

التى يفضلها المحكومون ، وايضا من خلال الضغط على هؤلاء الحكام ليعملوا وفق هذه الاولويات ويقدم دى بالما **D. PALMA** توضيحا لمفهوم الفاعلية السياسية فى دراسة للمقارنة بين السلبية والمشاركة **APATHY AND PARTICIPATION** على انها محاولة لتقيم الفرد لمهاراته وموارده السياسية والفعالية التى يعمل ويفهم بها السياسية ، بل ايضا فى اعتقاده فى تنفيذ النظام السياسى وعن مفهوم الاختيارية يعرف كارل دويتش **K . DEUTSCH** المشاركة السياسية بأنها عملية الاختيار السياسى التى يمارسها الافراد بهدف التأثير على القابضين على السلطة السياسية عند قيامها باصدار قرار سياسى ، وهى ايضا عملية مساندة أو رفض لقيم سياسية معينة ونفس المفهوم يتناوله على الحلبى فى تعريف للمشاركة بأنها العملية التى يلعب من خلالها الفرد دورا فى الحياة السياسية للمجتمع .. ويكون لديه الفرصة فى ان يساهم فى وضع الاهداف العامة لذلك المجتمع وتحديد افضل الوسائل لانجازها .فلمشاركة السياسية تفترض ضرورة احداث تأثير ودور فى الحياة السياسية بمختلف مجالتها وانشطتها فى سبيل تحقيق اهداف عامة محددة .والمشاركة وفقا لهذا التعريف هى سلوك ايجابي ظاهر ، عرضى ومستمر ومن اهم ما اشار له المفهوم هو الوحدة التكاملية بين المعارف والاتجاهات والسلوك السياسي.

التحليل النفسى والاجتماعى للمشاركة السياسية:

-وهو مايؤكد مدى اهمية التحليل النفسي والاجتماعى لمفهوم المشاركة السياسية .. فاى نظام اجتماعى يمارس تأثيرين اساسين على الاتجاه والسلوك السياسي للفرد حيث يحدد عدد البدائل السياسية العامه فى البيئه امام الافراد .

-وتقترح هذه النظريات التحليلية عاملين مؤثرين فى المشاركة هما :

١ - كلما زادت البدائل فى البيئة ، زاد احتمال ان يختار المرء ما يتناسب معه .

٢ - كلما زاد انغماس المرء فى القضايا السياسية زاد احتمال ان يعكس السلوك السياسي قيم واستعدادات داخلية . وتقدم نظريات التعلم نموذجا يفسر قرار المرء بالمشاركة باعتبار تفاعلا بين منبه بيئ والاستعداد الداخلى لدى الفرد فى لحظة معينة ، والنموذج ينظر الى المعتقدات والاتجاهات باعتبارها استعدادات سياسية

هامة ، والمعتقدات ليست سوى معارف يصحبها شعور قوى بمصداقيتها وما يميزها عن المعارف التى لا يعتقد المرء بالضرورة فى صحتها ، أما تعريف الاتجاهات فهى مجمل تقييم الفرد الايجابى او السلبى لموضوعات معينه .

- وحتى يدفع المنبه السياسي المرء للمشاركة السياسية فانه يجب ان يتغلب على عتبة الاستعداد لديه للقيام بالنشاط السياسي .. فالاستعدادات تظل كامنة ما لم يحركها منبه معين وترتبط بالادراك الانتقائى والقدره على الاستجابة لعدد محدود من المنبهات فى نفس الوقت .

مجالات المشاركة السياسية :

- قدم عدد من الباحثين من خلال تعرضهم لمفهوم المشاركة السياسية بعض مجالاتها :

فنجد ان صلاح منسى يحدد ذلك بقوله ان المشاركة السياسية هى حرص الفرد على ان يكون له دور ايجابى فى الحياة السياسية من خلال المزاولة الارادية لحق التصويت والترشيح للهيئات المنتخبة أو مناقشة القضايا السياسية مع الاخرين أو بالانضمام بالمنظمات الوسيطة. ويقدم ديفيد بالتروروبرت انتمان **PALETZ & ENTMAN** فى تعريفهما للمشاركة مجالات اخرى حيث انهما يؤكد ان على ان المشاركة السياسية عملية تتضمن " التصويت ، المناقشة السياسية ، حضور الندوات ، الاجتماعات السياسية ، المشاركة فى الحملات الانتخابية سواء بالمال أو الدعاية لها ، الاشتراك فى عضوية الاحزاب والاتصال بالمسئولين . السعى لمنصب سياسى ، الاشتراك فى المظاهرات واعمال الشغب وكانت نفس مجالات المشاركة السابقة باستثناء الاشتراك فى المظاهرات ، واعمال الشغب : هى المجالات التى اكد عليها روش **RUSH** والزوف **ALTHOFF** فى تحديدهما لأنشطة المشاركة السياسية التقليدية ويتناول الان بيك وسنيمج **BEEK & SENIMGS** مجالات المشاركة بمفهوم اوسع من خلال تعريفهما بأنها العملية التى يحدث فيها إشراك المواطن فى صياغة السياسة العامة بشكل مباشر أو غير مباشر على كافة مستويات النظام السياسى ويكون تحديد المارکة السياسية من خلال تعدد متدرج يمثل اقصى درجات المشاركة

السياسية واقل درجة من درجات المشاركة مثل تقلد منصب سياسى ، السعى نحو منصب سياسى ، العضوية الايجابية فى التنظيم السياسى ، العضوية السلبية فى التنظيم شبه السياسى ، والمشاركة فى الاجتماعات السياسية والمظاهرات والمشاركة فى المناقشات السياسية والرسمية والاهتمام العام بالسياسة والتصويت .

اما ماكلوسكى **MACLOSKY** يصنف انشطة المشاركة السياسية الى مجموعتين:-

أ - انشطة تقليدية أو عادية ابرزها : التصويت ، مناقشات سياسية ، حضور نداوات ، مشاركة فى حملة انتخابية ، الاحزاب ، الاتصال بالمسئولين ، الترشيح بالمناصب العامة ، وتقلد المناصب السياسية .

ب - انشطة غير تقليدية : بعضها قانونى مثل الشكوى وبعضها غير قانونى كالتظاهر ونهب أو تخريب الممتلكات والخطف والاغتيال والثورة ، ويلجاء اليها المواطنون للتعبير عن مطالبهم حينما يفتقر لقنوات التعبير الشرعى أما نلسون وهنتجون**H . & NELSON** فى كتابهما ليس الاختيار سهـلا (**NOEASYCHOISE**) والذى تعرضنا فيه لمفهوم هنتجون عن المشاركة السياسية ، فقد طرحا تصنيفا اخر لاهم انماط المشاركة وذلك طبقا لمعايير محددة : هى الهدف من النشاط، الفردية والجماعية ، القانونية وغير القانونية ، التلقائية والتنظيم وذلك على النحو التالى :

أ - نشاط الانتخاب .

ب - الانشطة الخاصة بممارسة الضغط والتأثير على المسئولين وقراراتهم .

جـ - الانشطة التنظيمية ومنها عضوية التنظيمات والجماعات والاحزاب .

د - الاتصال بالمسئولين .

هـ - الانشطة العنيفة وهى عادة غير قانونية .. مثل اعمال العنف والشغب والثورة .(٢)

** واعتبر الباحثان : ان التصويت فى الانتخابات **VOTING** يعد اكثر انماط المشاركة السياسية شيوعا حيث تشهده كل النظم السياسية مع اختلاف فى نطاق تأثيره والدلالات التى ينطوى عليها .

أما ديفد سون وكوتر DEVID SON &COTTER فقد حدد خمسة مستويات للمشاركة السياسية وهى :

- الانتخابات
- المشاركة فى المهام السياسية
- العمل الهام
- الحديث عن السياسة .

وتصنيفات ديفد سون وكوتر تستبعد الانشطة العنيفة التى سبق الاشارة اليها فى محاولات باحثين اخرين وتكتفى فقط كما نلاحظ بالانشطة التقليدية .

- اما بترسون PETERSON فجدد مؤثرات اخرى للمشاركة السياسية كابعاد معبرة عن المشاركة وهى :

- الثقة فى الحكومة
- الممارسة السياسية التقليدية
- المعارضة
- الكفاءة السياسية

وذلك عندما سعى لقياس علاقة المشاركة السياسية بسلوك المخاطرة ومدى ارتباطها معا. وهو تصنيف يقدم ابعاد جديدة تراعى الابعاد النفسية للافراد وتجمع بين كل من الأنشطة المؤيدة والمعارضة فى السلوك السياسى للجمهور.

ونلاحظ بعض النقاط فى هرم ميلبرث :

١ - أن نفس المتغيرات المستقلة ترتبط بمجموعة متنوعة من المتغيرات التابعة فالمكانة الاقتصادية والاجتماعية الارقى ذات صلة قوية بانشطة سياسية مختلفة فى هرم المشاركة .

٢ - المشاركة ذات طابع تراكمى ، فالمشارك فى المستويات العليا غالبا ما يقوم بالمشاركة فى المستويات الدنيا من الهرم .

٣ -انشطة المشاركة مرتبة وفقا لمعيار التكلفة والجهد اللازم لانجاز المشاركة ترتيبا تصاعديا نتيجة لذلك فان حجم المشاركين يتناقص تدرجيا كلما اتجهنا الى اعلى الهرم حيث يزداد الجهد فى الفئة النشطة والتى اطلق عليها فئة النضال السياسى .

-وقبل ان نختم التناول لمجالات وانشطة المشاركة السياسية المختلفة نورد اراء باومان وبينتون BOYRTON & BOWMAN فى ابعاد تصنيف المشاركة السياسية ، حيث اشار الباحثان الى ان جميع اجهزة المشاركة السياسية تصنف وفق بعدين :-

أ - حجم الجهد المطلوب لانجاز النشاط السياسى .

ب - مدى قبول اورفض السلطة لانشطة المشاركة السياسية .

- ووفقا لهذين البعدين نقسم المشاركة الى فئاتها ، التى توجد فى كل المجتمعات تقريبا بنسب تختلف من مجتمع لاخر .

المفهوم الإجرائى للمشاركة

المشاركة : هى نشاط اختيارى تطوعى يقوم به الشباب بهدف التأثير على صنع القرارت السياسية العامة فى المجتمع والمساهمة فى اشكال العمل السياسى من خلال إحساس المواطن الشاب بمسئوليته الاجتماعية .

ـ المشاركة السياسية ، هى فعل نهائى محصلة معارف واتجاهات سياسية لدى الشباب تؤدى الى احداث سلوك المشاركة السياسية ، ويدخل فى ذلك الابعاد الاجتماعية والسياسية مثل التقمص الوجدانى للشباب وكذلك متغيرات الاهتمام السياسى وجماعات الانتماء ، فهناك تكامل وتداخل بين المكونات الثلاثة : المعرفية والوجدانية والسلوكية .

- المشاركة هى افعال سلوكيات ظاهرة وعلانية سواء كانت قولا أو لفظا أو فعلا ، ويستبعد من مفهوم الباحثة المشاركة الخفية التى اشار لها مالبرت سابقا.
. L MILBRATH

٦٤

- المشاركة هى سلوك سياسى يجمع بين الحالة العرضية فى أوقات محددة مثل المناقشات السياسية والتصويت فى الانتخابات ، وكذلك بين الاستمرارية مثل نمط عضوية الاحزاب والتنظيمات المختلفة .

- هى افعال ايجابية وليست سلبية يقوم بها الشباب بهدف التأثير والمشاركة بدور فى صنع القرارات السياسية الخاصة بالمجتمع ، لذلك فالعزوف عن التصويت، والمناقشات وخلافه يخرج من اطار افعال المشاركة السياسية وفقا لمفهوم الدراسة .

- المشاركة السياسية تراكمية ، بمعنى ان من يشارك فى نشاط من انشطتها ، يشارك فى بقية الانشطة ، أو على الاقل لديه استعدادا اعلى للمشاركة من سواه .

-. وهى ايضا مواقف سياسية يتخذها الشاب العادى وليس المحترف السياسى ، الذى اتخذ من العمل السياسى وظيفة لها ، وانما الشباب العادى الذى يتخذ موقفا سياسيا من منطلق احساسه بالمواطنة ومسئوليته تجاه مجتمعه .

- والمشاركة السياسية ، هى كافة اشكال السلوكيات السياسية القانونية ، وهذا لا ينفى بالطبع وجود بعض الانشطة السياسية التى قد لا توافق عليها الحكومات مثل السعى لعرض سلبيات المسئولين لوسائل الاعلام ومعارضة الحكومات ، المسيرات .... وغيرها من الاشكال التى قد تنم عن معارضة لنظام الحكم لا تلحق اذى أو اضرارا بالمجتمع .

مجالات المشاركة الاجرائية :

- الاشتراك فى المناقشات السياسية .
- حضور الندوات السياسية .
- التصويت فى الانتخابات .
- العضوية النشطة والعاملة فى الاحزاب والتنظيمات السياسية .
- الاشتراك فى معسكرات العمل الوطنى .
- الاتصال بالمسؤلين لعرض المشكلات .
- الكتابة لوسائل الاعلام باراء وموضوعات عامة .

- الترشيح للمناصب القيادية .
- السعى للمناصب السياسية .
- المساهمة بالوقت والمال فى الحملات الانتخابية .
- الدعوة لجمع تبرعات مالية للاحزاب والتنظيمات .
- هذا بخلاف بعض الانمطة على الوجه الاخر المعارض مثل :
  - اعمال العنف والشغب والثورة .
  - الاشتراك فى المظاهرات .
  - معارضة النظام القائم باعمال ارهابية مرفوضة .
  - الانشطة غير القانونية .

١- حنان يوسف ، المعالجة الإخبارية للقضايا العربية فى شبكتى Cnn وeuronews ،رسالة دكتوراة غير منشورة ، كلية الإعلام ، جامعة القاهرة ،٢٠٠١، ص:٢٦٩.

٢ -d. Fleur &s.b.rokeach, theories of mass communication ,new york, mack press,١٩٧٦.

٣- أماني السيد فهمي، الاتجاهات العالمية الحديثة لنظريات التأثير فى الراديو والتليفزيون، المجلة المصرية لبحوث الإعلام، كلية الإعلام، جامعة القاهرة، عدد٦-أكتوبر ١٩٩٩، ص ص:٢٠٧-٢٤٩.

٤-lee b. Becher, maxwell e . Mc combs & jack m . Hcleod , the development of polotical cognitions at . Steven. H . Chaffee, political communication, sage ublications , beverly hills , ١٩٧٥ , p : ٥٨ .

٥--defleur&s.b.rokeach, theories of mass communication, op. Cit.p:٢٢٥-٢٨٠.

٦-loges.w.e.canaries in the coal mire., percepation of threat &media system –dependency relations, communication research,١٩٩٤,voi.٢١.no.١,p:٣٢.

٧-logos, william & rokeach , sandra , dependency relations & news paper readership , journalism quarterly , vol. ٧٠ , no. ٣ , ١٩٩٣ , p : ٦٠٢.

٨--lee b. Becher , maxwell e . Mc combs & jack m . Mcleod , the development of mass communication,op.cit,p:٧٦.

٩- ملفن دى فلور وساندرا روكيتش،نظريات وسائل الاتصال، ترجمة: كمال عبدالرؤوف، دار الفكر العربي،القاهرة،١٩٨٦،ص:٣١.

الفصل الرابع
الإعلام السـياسى
Political Communication

- الإعلام والسياسة.

- المتلقى فى عملية الاتصال السياسى

- القائم بالاتصال فى الاتصال السياسى

- تأثير النظام السياسى فى صناعة الاتصال السياسى

- نموذج دور الإعلام فى تشكيل السلوك السياسى

- المكون المعرفى Cognitive Component

- المكون العاطفى :

أ)-الفروق الفرديـة

ب)- الاهتمام السياسى

ج)-التقمص الوجدانى

د)-المتغير الاجتماعى

- المتغير الديموجرافى

- دور الإعلام فى تكوين الاتجاهـات السياسية

- مدخل المفهوم الشامل للاتجاه السياسى : ABC

الإعــلام والســياســة

عبر المـوند Almond فى عبارته الشهيرة كل شئ فى السياسة اتصال عن ماهية الأدوار والوظائف المتعددة التى تقوم بها وسائل الاتصال فى خدمة النظام السياسى لدرجة تجعل من الصعب على النظم السياسية أن تتعايش دون الاعتماد على وسائل الاتصال(١) .

■ وتشير الدراسات الاتصالية إلى أهمية فرع الاتصال السياسى فى تدعيم المفاهيم السياسية بشكل عام ، والربط بين الجماهير وتطبيق السياسة فى ضوء الإطار العام لخدمة المجتمع .

■ ويؤكد الباحث الأمريكي شيفى Chaffee فى مقدمة كتابه (الاتصال السياسى) أن هناك نوعا من التداخل القوى بين سياسات العالم وتكنيكيات وسائل الاتصال يعود لأيام يوليوس قيصر فى العصر الرومانى القديم ، وازدادت أهميته فى العصر الحديث حيث صار من الصعب على الفرد أن يختار حكومته بدون وسائل إعلام ، ويستطرد شيفى ، أنه بالرغم من تعقد هذا المجال إلا انه صار له العديد من مريديه ومحبى اكتشافه من رجال الصحافة والاتصال وكذلك الأكاديميين الذين أثبتت أبحاثهم مدى العلاقة الوطيدة بين وسائل الاتصال بأنواعها المختلفة والسياسات العالمية والمحلية تأثرا وتأثيرا(٢).

■ ويقف المتلقى على الجانب الأخر متعرضا لرسائل عديدة تساهم بشكل كبير فى إمداده بالمعلومات والمعارف السياسية وبناء فكره السياسى ، ووصولا إلى تشكيل آراءه ومعتقداته واتجاهاته ومن ثم سلوكه السياسى ،فوسائل الاتصال تقف بين الجمهور والأنشطة السياسية والمصادر الأخرى المتعلقة بالأيديولوجية الطبقية ، وقد أمكنها بفضل هذه الحالة الوسطية أن تعلق على التطور السياسى

وتفسره[٣]،حيث أصبح الاتصال ضرورة فى المجتمع ولا يستطيع الفرد أن يتواجد يدونه ومن ثم فان العمليات الاتصالية لها تأثيرها الكبير على طبيعة المجتمع بما فى ذلك نظامه السياسي ويظهر تأثير وسائل الاتصال على النظام السياسى لدرجة أن الأنشطة السياسية المختلفة فى الوقت الحاضر يصعب ممارستها فى غياب وسائل الاتصال .

■ وتقع معظم التأثيرات السياسية لوسائل الاتصال على الأفراد من خلال معلوماتها السياسية والتى قد تعدل أو لا تعدل الاتجاهات والتى بدورها قد تعدل أو لا تعدل السلوك وهذا التأثير قد يتحقق من خلال أي عنصر من عناصر العملية الاتصالية حسب مستوى العلاقات السياسية سواء كانت هذه العلاقات فيما بين الأفراد أو المؤسسات[٤].

ويؤكد الباحثون فى مجال السياسة والاتصال على أهمية العلاقات المتبادلة بينها فالعلاقة بين الطرفين علاقة وثيقة للغاية وكلا منهما يتأثر ويؤثر بالأخر ،فالاتصال يمثل حلقة الوصل لرجال السياسة مع الجماهير والنخبة ، وكذلك يعد أحد القنوات الرئيسية للتعبير عن مصالح الجماهير وتوصيل رغباتهم ومطالبهم إلى الحكومة وصانعى القرارات فالسياسة بعالمها الخاص والعام لايمكن تصورها بدون وسائل اتصال جماهيرية تربط بينها وبين مفردات المجتمع الأخرى .

ومن ناحية أخرى يؤثر النظام السياسى فى النظام الاتصالى من حيث ملكية الوسائل ومحتوى الرسائل المقدمة واتجاهات وأداء القائمين بالاتصال داخل هذه المؤسسات الاتصالية ويزداد حجم هذا التأثير الذى يمارسه النظام السياسى على نظام الاتصال فى حالة البلدان النامية مرتبطا بسمات المجتمعات النامية وطبيعتها السياسية والاقتصادية والاجتماعية.

كل ذلك يعطى دلالة على مدى قوة الاتصال فى عملية التأثير السياسى على المواطنين بل وعلى السياسة وصانعى القرار ، فهناك ازدياد في اعتماد النسق

السياسى على وسائل الاتصال فى نشر الأفكار التى يهدف هذا النسق أو النظام السياسى القائم إلى نشرها(٥).

■ اما كارل دويتش k . Deutsche والذى يعده البعض من رواد منهج الاتصال فى دراسة النظام السياسى فمن رأيه :أن عملية الاتصال تعد بمثابة الجانب المحورى فى أي نظام سياسى وقدم نموذج اتصالى للنظام السياسى من خلال الشكل التالى :

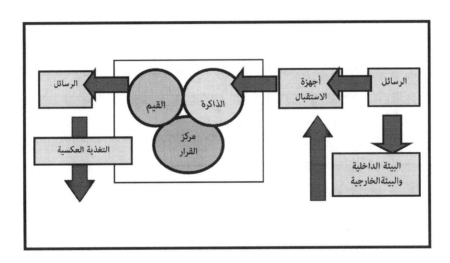

(شكل يوضح نموذج الاتصال السياسى لكارل دويتش)

فأجهزة الاستقبال تستقبل المعلومات ثم تنقلها لمركز القرار الذى يعتمد على الذاكرة والقيم المختزنة لديه فى التوصل إلى القرار الذى يترجم إلى أفعال تنفيذية ،وقصد دويتش بالتغذية العكسية عملية تدفق المعلومات من البيئة إلى النظام والعكس، وبذلك يساعد هذا المنهج فى رصد العوامل التى تؤثر على استقبال الأفراد للنظم السياسية للمعلومات وكيفية تأثير الاتصال على الإدراك السياسى ،كما يرى دويتش أن هناك تدفقا للمعلومات بشكل مستمر يشكل شبكة اتصال تعدل نفسها ذاتيا Self Modifying Communication Network وتمر عملية التفكير فى سبع مراحل هى :

الترميز-التخزين-فصل الرموز-استدعاء المعلومات-إعادة التركيب-خلق رموز جديدة-نقل العناصر إلى التخزين أو السلوك(٦).

ولقد أصبح الباحثون يربطون فيما بين الاتصال والسياسة كمرادفين؛وارتبطت قياسات العملية الاتصالية بقياس مستويات التغيير فى الأنظمة السياسية المختلفة،فالاتصال عنصر ديناميكي مرتبط بعناصر أخرى ارتباطا عضويا وينبغى تنسيق اوجه نشاطه مع أنشطة القطاعات الأخرى والأنماط التنظيمية والمهنية والاقتصادية والتشريعية والأنظمة الأخرى المتصلة به، مع الالتزام بالسياسات العامة الموضوعة للدولة والتى تسير على هداها المؤسسات الاتصالية الحكومية وغير الحكومية.

أما عالم السياسة هارولد لازويل **H . Laswail** فقد تناول استخدام الصفوة الحاكمة وهم المسئولون عن صانعى القرارات فى السياسات العامة لوسائل الاتصال من اجل تحقيق أهداف محددة فالاتصال فى مفهومه يعنى استخدام الرموز الملائمة من اجل تنفيذ السياسات الموضوعة وشبه لازويل **Laswail** المجتمع بالهرم قمته الحكام وقاعدته: المحكومون والفئة الوسطى هى بالأحرى الفئة التى تقوم عليها عملية الاتصال بين الحكام والمحكومين واسماها لازويل فى مثلثه الخبراء المتخصصين (٧) كما يوضح الشكل التالى :

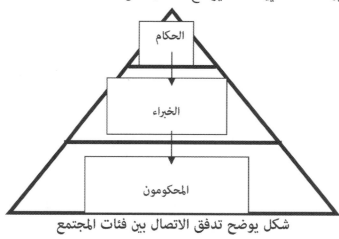

شكل يوضح تدفق الاتصال بين فئات المجتمع

ويحدد سيمور طبيعة ونوعية العلاقات <u>مابين الفرد والنظام السياسى والوسيلة الاتصالية</u> إلى عدد من الفئات التبادلية:

١- العلاقة بين النظام السياسى والفرد .

٢- العلاقة بين النظام السياسى والمؤسسات الأخرى الوسيطة.

٣- العلاقة فى ما بين المؤسسات .

٤- العلاقة فى ما بين المؤسسات والفرد .

٥- العلاقة بين الفرد والفرد ^(٨) .

وعلى مستوى العلاقة بين القائم بالاتصال والسياسيين؛نجد أن العلاقة بينهما ذات طبيعة وإشكالية خاصة:فهى علاقة اعتمادية من طراز خاص وان شابها في بعض الأحيان نوع من العداء بين الطرفين ويتمثل هذا العداء في الأنظمة الليبرالية فقط رغم وجود بعض التحفظات التى أفرزتها ثورة التكنولوجيا الاتصالية،حيث أظهرت إحدى الدراسات أن القائمين بالاتصال فى المحطات التليفزيونية المحلية الأمريكية يعتمدون على الخطط الاستراتيجية المطبوعة للمرشحين فى حملات الرئاسة الأمريكية عام ١٩٩٢ كمصدر لمعلوماتهم وتغطيا تهم الإخبارية(٩).

فهناك شبه اتفاق على تأثير سياسة الدولة وسياسة المؤسسة على أداء القائم بالاتصال إضافة إلى القيم المهنية والتنشئة الاجتماعية للقائم بالاتصال ، إلا أن معظم الدراسات أثبتت أن الضغوط الإدارية هى التى تمارس التأثير الحاسم على القائم بالاتصال {Mourdock, Bowers, Sigal, Hallaran} لذلك يعكف الباحثون   على دراسة العوامل التى تشكل سياسة المؤسسات الاتصالية وتأثير الملكية الشخصية على مسار المؤسسات والتقاليد التى تدار بها المؤسسة وخطط الأهداف القصيرة والطويلة المدى والتى تبغى المؤسسة تحقيقها.

وبالضرورة أن نتوقع هنا نوعا خاصا من العلاقات المترابطة بين الاتصاليين والسياسيين :الاتصاليون ينتظرون من رجال السياسة القرارات والتصريحات

والتواصل مع جماهير الوسيلة والسياسيون يعتمدون على الاتصال فى نقل ما يتوصلون إليه من قرارات وتقديم الملامح العامة لسياستهم .

ويمكن هنا الاسترشاد بنموذج العلاقة بين أداء شبكة السى أن أن CNN وهى شبكة إخبارية خاصة وبين النظام السياسى الأمريكي فهناك اتفاق غير معلن على ما يتم التركيز عليه أو يستبعد أو يعالج بشكل مختلف من الموضوعات والأحداث المختلفة داخل إنتاج الشبكة، فليس كما يتصور البعض أن علاقة الاتفاق هذه تكمن فقط بين النظم الاتصالية الرسمية مثل دول العالم العربى، وإنما هى علاقة وطيدة مع اختلاف الأنظمة الرسمية أو الخاصة.

المتلقى فى عملية الاتصال السياسى

والمتلقى يقف بين الطرفين يعتمد على وسائل الاتصال كجسر يربط بينه وبين صانعي القرارات التى بصيغ له مستقبله السياسى ومن ثم بقية الجوانب الأخرى للدرجة التى وصف بها علماء السياسة الاتصال ،بأنه صار وسيطا فى صنع السياسات[١٠] ، فهو يشارك فى العملية السياسية من خلال تركيز الانتباه على قضايا معينة من شأنها أن تدعم أو تغير الصورة الذهنية **Image** لدى الأفراد هذه بدورها تؤثر فى السلوك السياسى لهم فالطريقة التى يتصرف بها الأفراد حيال السياسات والاتجاهات والقيم السياسية ليست إلا انعكاسا للصورة التى كونها عن المجتمع من حوله والتاستقاها من كم المعلومات التى وصلت إليه من خلال المضمون السياسى المقدم لوسائل الاتصال الجماهيرية .

وحجم الفاعلية السياسية للأفراد والتى تعنى تعاملهم مع النظام القائم سواء بالرفض أو بالقبول يسيطر عليه إلى مدى بعيد مدى انتفاع الفرد هذا النظام ، والذى تساهم بدور كبير فيه العمليات الاتصالية وأهدافها ،ويتبقى إشكالية معوقات الاتصال والتى يرجعها شافي **Chaffe** إلي العوامل التى تؤثر فى عملية التداخل وتعرقل تحقيق أهداف النظام السياسي واستقراره،وهى التى حددها نيل **Null** أيضا

بالفروق والتغيرات الفردية بين الأفراد والتى من شأنها أن تتيح ردود أفعال متباينة بين الفئات المختلفة[١١].

وفى ظل المجتمعات الحديثة التى تتسم بالتعقد والسعى إلى إيجاد حالة تبدو متوازنة من الديمقراطية السياسية يشير انتونى سميث

A . Smith إلى دور المؤسسات الإعلامية الحرة فى إيجاد التعددية السياسية المطلوبة للديموقراطية من خلال ما تقدمه من مواد متنوعة تشمل وجهات النظر المختلفة والآراء لجمهور المواطنين[١٢] .

وكل ذلك يعطى دلالة على مدى قوة الإعلام فى عملية التأثير السياسى على المواطنين بل وعلى السياسة وصانعى القرار ، حيث يشير شيفى **S.Chaffee** إلى ازدياد واعتماد النسق السياسى على وسائل الإعلام فى نشر الأفكار التى يهدف هذا النسق أو النظام السياسى القائم إلى نشرها .

القائم بالاتصال فى الاتصال السياسى

يعتبرفرع الإعلام السياسى**Political Communication** من الفروع الراسخة فى مجال الإعلام منذ بدء العلاقة ما بين الجمهور بفئاته المختلفة ووسائل الاتصال ، فلقد تناول الباحثون فى دراساتهم وأبحاثهم طبيعة التداخل ما بين الإعلام والسياسة .

فنجد أن هولاندر **G. Holl ander** فى عام ١٩٧٢ أكد على أن الإعلام الجماهيرى فى عهد الزعيم السوفيتى السابق ستالين عكس السياسات السوفيتية القائمة، وكان أحدالوسائل الترويجيةلأهداف هذه السياسات ، وان الميل لمشاركة الجماهير فى هذا المجتمعات توقف إلى حد كبير بتأثره بالوسائل الإعلامية المقدمة .[١٣]

وفى الصين ظل التليفزيون أداة من أدوات الحكومة والحزب، وبات الأمر يشير إلى وجود علاقة وطيدة ما بين الحكومات والميديا والتليفزيون على وجه التحديد الذى أصبح قوة سياسية وثقافية هامة يعتمد عليها بلايين الأفراد من الجمهور الصينى.

- وعلى الرغم من أن خبراء الإعلام فى الصين اشاروا مؤخرا إلى التغيرات الملحوظة التى واجهت التليفزيون الصينى فى إعقاب الإصلاح السياسى والاقتصادى عام ١٩٧٩ ، إلا إن ذلك لم يتنقص من مكانته كمصدر هام للمعلومات السياسية لجموع الشعب الصينى[١٤] .

وهى كلها أمثلة تعكس مدى الترابط ما بين الإعلام والسياسة فى مختلف الأنظمة السياسية القائمة وكذلك الإعلامية : الشمولية - الليبرالية - المسئولية الاجتماعية .

فالاتصال أصبح ضرورة فى المجتمع ولا يستطيع الفرد إن يتواجد يدونه ومن ثمة فان العمليات الاتصالية لها تأثيرها الكبير على طبيعة المجتمع بما فى ذلك نظامه السياسى ويظهر تأثير وسائل الإعلام على النظام السياسى لدرجة إن الأنشطة السياسية المختلفة فى الوقت الحاضر يصعب ممارستها فى غياب وسائل الإعلام .

فوسائل الإعلام قد تكون سببا ضروريا وكافيا للتأثير السياسى وقد تكون سببا ضروريا ولكنه ليس كافيا .

وتقع معظم التأثيرات السياسية لوسائل الإعلام على الأفراد من خلال معلوماتها السياسية والتى قد تعدل أولا تعدل الاتجاهات والتى بدورها قد تعدل أولا تعدل السلوك .. وهذا التأثير قد يتحقق من خلال اى عنصر من عناصر العملية الاتصالية حسب مستوى العلاقات السياسية سواء كانت هذه العلاقات فيما بين الأفراد أو المؤسسات.

تأثير النظام السياسى فى صناعة الاتصال السياسى

كما سبق التوضيح فان النظام السياسى يؤثر فى النظام الاعلامى من حيث ملكية الوسائل ومحتوى الرسائل المقدمة واتجاهات وأداء القائمين بالاتصال داخل هذه المؤسسات الإعلامية، ويزداد حجم هذا التأثير الذى يمارسه النظام السياسى على نظام الاتصال فى حالة البلدان النامية مرتبطا بسمات المجتمعات النامية وطبيعتها السياسية والاقتصادية والاجتماعية.

حيث أن نظام الاتصال هو مجرى تدفق المعلومات من النخبة السياسية للجماهير من جهة وكذلك نقل مشاكل وطموحات هؤلاء الجماهير إلى النخبة وشبه الموند **Almond** النظام الاتصالى الاعلامى ووظائفه بالدورة الدموية داخل النظام السياسى من حيث التغذية الصحيحة [١٥].

اما لوشيان باى **Lucian -Pye** فيرى جوهرية العلاقة بين الاتصال والسياسية حيث يقوم عالم السياسة على المشاركة وذلك يتطلب إيجاد القنوات التى تنقل مصالح المواطنين ومطالبهم إلى صانعي القرار ، وكذلك ضرورة وجود الوسائل اللازمة لنقل التعبيرات الرمزية عن القيم والمعايير والمفاهيم الإجرائية المصاحبة لعلم السياسة

خاصية أخرى يضيفها النظام الاتصالى للنظام السياسى وهى إضفاء الشرعية **Legitimacy** عليه وإقناع الشعب بأحقية السلطة وجدارتها رغم وجود المعارضة فالشرعيةالتى تخلقهاوسائل الاتصال للنظام السياسى القائم تسمح بذلك مع الاحتفاظ التام بأحقيته فى الحكم وتأتى هذه النتيجة التى توصل إليها د. الوفائى فى دراسته التى استهدفت معرفة دور وسائل الاتصال فى إضفاء الشرعية على النظام السياسى داخل **U. S. A** إلا أن الدراسة تقترح ضرورة تحديد موقف واتجاه السياسيين إزاء القضايا التى تتناولها وسائل الاتصال لفهم التغطية الإعلامية الخاصة بها [١٦].

وبالضرورة أن نتوقع هنا نوعا خاصا من العلاقات المترابطة بين الإعلاميين والسياسيين الإعلاميون ينتظرون من رجال السياسة القرارات والتصريحات والتواصل مع جماهير الوسيلة والسياسيون يعتمدون على الإعلام فى نقل ما يتوصلون إليه من قرارات وتقديم الملامح العامة لسياستهم.

وتأكيدا لهذه العلاقة الاتباطية الوثيقة ما بين علمى السياسة والأعلام يمكن طرح نموذجين تطبيقين لقياس العلاقة التأثيرية ما بين الإعلام والسياسة: الأول على مستوى السياسة الداخلية وكيف يمكن تشكيل الاتجاه السياسى للمواطن، والنموذج الثانى: يبحث فى تأثير الإعلام على صنع السياسة الخارجية من خلال دور الإعلام الدولى فى تشكيل الصورة الذهنية للأفراد والشعوب والتى من شأنها أن تؤثر على قرارات وسياسات الدول إزاء تلك الشعوب وسنعرض له تفصيلا فى الفصل الأخير من هذا الكتاب فى إطار المقاربة ما بين الإعلام والاتصال الدولى وصنع السياسة الخارجية.

ونبدأ بالنموذج الأول الذى يبحث كيف يمكن تشكيل الاتجاه السياسى للمواطن من خلال مضامين سياسية إعلامية مختلفة وان كان من الأهمية بمكان هنا تأكيد أهمية العناصر الأخرى المكونة للنظام السياسى فى تحقيق وتشكيل هذه النتيجة فمهما كان كفاءة وجودة الرسالة الإعلامية فأنها لن تؤتى نتائجها إلا فى ظل ظروف ومتغيرات عديدة اجتماعيا ونفسيا ومعرفيا.

نموذج دور الإعلام فى تشكيل السلوك السياسى

يطرح النموذج التالى مدى تداخل وسائل الاتصال واعتمادها على النظام السياسى والاجتماعى بشكل تبادلى ، فلكى تنتج ايجابية النتائج من تاثيرات الرسائل الاتصالية لابد أن يدعمها عدد من المتغيرات والاعتبارات المرتبطة بالبيئة الاجتماعي التى ينمو فيها كل من النظام السياسى والاعلامى .

ويمكن أن تتحدد عناصر هذا النموذج فيما يلى :

يرتبط السلوك السياسى للأفراد بصورة المرء عن عالم السياسة التى تساهم وسائل الإعلام فى تكوينها لدى الجمهور .

لكن الفروق الفردية المنبعثة من البيئة الاجتماعية والسياسية التى يحياها الفرد

كذلك يساهم فى اختلاف التأثير المعرفى السياسى مدى ارتباط الفرد بجماعات الانتماء والاهتمام السياسى التى يخلقها له النظام السياسى بالإضافة إلى الاعتبارات الديموغرافية المختلفة مثل (السن والنوع والتعليم).

ويتضمن الاتجاه السياسى الناتج عن هذه العملية ثلاث مكونات: معرفية وعاطفية وسلوكية ، واتاه التأثير دائرى بمعنى أن كل عنصر فى هذه العملية السياسية وتكوينها يؤثر ويتأثر بالعناصر الأخرى .

يرتبط السلوك السياسى للأفراد عموما بصورة المرء عن عالم السياسة والتى تطبعها وسائل الإعلام فى أذهان الجمهور وهى تمارس دورا مؤثرا فى حث وتشجيع الأفراد على اتخاذ مواقف وسلوكيات سياسية من بينها المشاركة السياسية.

ومن هنا فان التعرض للرسالة الاتصالية يمكنها أن تغير من الطريقة التى يشكل بها المرء صورة العالم كما تضيف له معلومات سياسية جديدة وتربط بين علاقات ومتغيرات داخل نظامه السياسى من شأنها إحداث تأثير فى سلوكياته السياسية.

المكون المعرفي Cognitive Component

يعد أهم متطلب فى عمليات النشاط السياسى ، ويقصد بالمكون المعرفى كم المعلومات السياسية الصحيحة التى يحصل عليها الفرد عن المجتمع من حوله عبر وسائل الإعلام فالرسائل الإعلامية ذات المضمون السياسى تمثل وحدات البناء المعرفى لدى كل فرد والذى من المنطقى أن يختلف حجمه من فرد إلى أخر .

التأثير المعرفى = متغير نفسى(الفروق الفردية -التقمص -الوجدانى)

+ الاهتمام السياسى + متغير اجتماعى(جماعات الانتماء)

+ متغير ديموجرافى (السن - النوع - التعليم)+ الاتجاهات و السعالمعلومات السياسية

أنواع التأثيرات المعرفية :

ويشير مفهوم التأثيرات المعرفية إلى كافة التأثيرات العقلية ومنها:

- ازالة الغموض من خلال معلومات كافية وواضحة .
- وضع اجنده الجمهور التى هى عبارة عن تفاعل بين الاهتمامات الخاصة الناتجة عن اختلافات الفردية وموقف الفرد داخل البناء الاجتماعي.
- تكوين القيم والمعتقدات التى يحققها الأفراد فى حياتهم وكذلك الأنماط السلوكية .
- زيادة نظم المعتقدات عند الناس واتساعها لمعرفة المزيد من المعرفة عن الآخرين.

وحتى يتحقق السلوك السياسى المرغوب لابد من اعتبار عدد من المتغيرات النفسية والاجتماعية والديموغرافية والتى من شأنها أن تساهم فى اختلاف هذا التأثير المعرفى لدى الأفراد، والتى هى إفراز طبيعي للبيئة الاجتماعية والسياسية والنظم السياسى الذى يحيى بداخله الفرد.

ومع التطور السريع لنظريات الإعلام، توصل الباحثون إلى اكتشاف مدى تعقد عملية التاثيرالاعلامى وإنها ليست بهذا التأثير الواسع الغير محدود على الأفراد باختلافهم وتنوعهم وان هذا الجمهور يحمى نفسه سيكولوجيا من بعض الرسائل الإعلامية، فالتأثير الاعلامى أصبح لا يمكن تفسيره طبقا للمفهوم القديم للتأثير المتماثل للإعلام .

فالجمهور كما وصفه ريموند باور **Raymond Pauer** جمهور عنيد يرفض التعرض بشكل سلبى للرسائل الإعلامية وله دور ايجابي حيالها فهو يختار من الرسائل ما يروق له دون غيرها . وفقا لعدد من الاعتبارات الانتقائية التى تختلف فيما بين الأفراد ، والأشخاص يميلون إلى التعرض بشكل انتقائي إلى مختلف الرسائل الإعلامية وفقا لوجهة نظرهم وأرائهم واهتماماتهم واستعدادهم السابق ويتجنبوا لما يعارضهم ويختلف معهم ، وإذا ما تعرضوا لمادة اتصالية غير متفقة معهم يحدث لهم نوع من التشويش والتوتر وتتم المعالجة بتفسير هذه المادة وفقا لوجهات نظر الأفراد حتى ولو كان هذا التفسير خاطئأو يتناسوها تماما فيما يسمى التذكر الانتقائي [١٧] ، أو القدرة على استبقاء المعلومات بمعنى انه عقب الإدراك الانتقائي فان الفرد يحتفظ بأجزاء من الرسالة التى تتفق معه ويمحو من ذاكرته كليا ما لم يتفق معه من مضمون الرسالة .

وبذلك يعد الاتصال احد العوامل التى تمارس التأثير على سلوك المتلقى بجانب عدد أخر من المتغيرات والاعتبارات النفسية والاجتماعية

- ويؤكد مندلسون **Mondelson** فى تفسيره لأثر الاتصال على السلوك الانسانى السياسى أن التأثير لا يحدث بطريقة متماثلة بين الأفراد وان هذا التأثير يحدث فى إطار عملية سيكولوجية متكاملة وممتدة وذات طابع تراكمى يتم داخل الفرد .

ويقترح مندلسون مقياسه لتحديد اثر الاتصال على السلوك السياسى يتكون من فئات ثلاث هى :

١ - الاستجابة الأوليةومؤشراتهـا: تذكر بعض المعلومات عن بمضمون الاتصال.

٢ - الاستجابة العاطفية ومؤشراتها : الاهتمام والإعجاب عن مضمون الاتصال.

٣ -الاستجابة السلوكية :الاستعداد والنية السلوكية حتى القيام بالسلوك ذاته(١٨).

المكـون العـاطـفى

- ويركز ملفن دى فلور على دور التأثيرات الانتقائية **Selective Influence** فى معرض حديثه عن تأثير وسائل الاتصال وحدد مع ساندرا روكيتش **S. Kochoach** همية مبدأ الانتقائية من خلال مدخل الفروق الفردية **Individual Differencec** بين أفراد الجمهور المتلقى والتى تؤدى إلى إحداث اختلافات فى التأثيرات تنجم عن هذه الفروق الفردية التى تشكل مكونات العنصر العاطفى المؤثر فى تشكيل الاتجاه السياسى للأفراد (١٩) .

ا - الفروق الفرديـــــة :

يقصد بالفروق الفردية أن هناك اختلافات فيما بين الأفراد فى الخصائص الشخصية ويفترض مدخل الفروق الفردية أن هذه الخصائص الفردية تؤدى إلى أنماط تعرض انتقائية إزاء وسائل الاتصال تختلف وفقا لهذه الفروق بين الأفراد، ومن ثم يؤدى ذلك إلى إحداث اختلافات فى التأثير من خلال مجموعة من المرشحات العقلية تصفى كم كبير من المعلومات وفقا لاهتمامات الأفراد (٢٠).

فوسائل الاتصال تعرض رسائلها لأفراد المجتمع الجماهيرى ، إلا أن هذه الرسائل تستقبل بشكل انتقائى يعود لاختلاف البنية الادراكية بما تحويه من احتياجات وعادات ومعتقدات وقيم واتجاهات ومهارات .

لذلك فان تأثير وسائل الاتصال ليس متماثلا أو مباشر ولكنه انتقائى ومحدد وفقا للاختلافات الفردية بين الأفراد.

ورغم أن الحديث عن الانتقائية بدء من الاربعنيات وأشار له كلابر فى ١٩٦٠ ودى فلور فى السبعينيات ، إلا أن الدراسات الحديثة لم تتوقف عن البحث فى فروض هذه الانتقائية .

حيث أكد شيفى وشليدور فعام ١٩٨٥ **Sheffee & Schleduer** على العلاقة القوية التى تربط ما بين الفروق الفردية والتعلم فى عقاب عملية التعرض لأخبار الميديا ، بمعنى أن تلك الاختلافات والفروق بين الأفراد تؤثر فى عملية التعلم كمتغيرات أساسية قبل اتخاذ الفعل [٢١] .

- وأشار جريج فيلو **G. Philo** فى عام ١٩٩٠ إلى أن هذه المعتقدات والمفاهيم التى يعتنقها الفرد يكون لها تأثيرا فيما يراه أو يعتقده بالنسبة للمضمون السياسى لأخبار التليفزيون وان هذه المعتقدات والمفاهيم تختلف من فرد لأخر ومن ثمة ينتج عنها تأثيرات متباينة فى سلوكيات الأفراد [٢٢] .

ب - الاهتمام السياسى :

اعتبر الاهتمام السياسى مظهر من مظاهر الفروق والذى يؤدى إلى إحداث تأثير سلوكي متباين بين الأفراد تناوله دياردى جونستن **Deirde. Johnston** فى دراسته عن الصور الذهنية والقضايا التى يخلقها المضمون السياسى المقدم فى الحملات الانتخابية والإعلانات السياسية التليفزيونية .

حيث اثبت د جونستن **D.Jonston** أن الفروق فى حجم الاهتمامات السياسية والانتماءات والاهتمامات الشخصية فيما بين الأفراد تؤثر فى تفكير الجمهور وإدراكه

وتفسيره للإعلانات السياسية ، كما أن هذه الفروق تعمل على خلق ما يسمى بالتحيز المعرفى فى الموضوعات السياسية المقدمة (٢٣) .

اثبتت الدراسات والابحاث اهمية متغير الاهتمام ودوره الضخم فى متابعة الاحداث السياسية ومن ثم حجم مشاركة الافراد فى المجالات السياسية ،و تأثير وسائل الاتصال على الاتجاهات والسلوك السياسى ترتبط ايجابيا بالتعرض لرسائل الاتصال الجماهيرية ، فالفرد ذو الاهتمام السياسى الاعلى تزداد درجة تعرضه لوسائل الاتصال وخاصة ما يتعلق منها بالمضمون السياسى وتوصلا كل من جارمونى واتكن **GARRAMNE & CH . ATKIN** الى زيادة تأثير وسائل الاتصال المتنوعة على كل من المعرفة السياسية والسلوك السياسى الذى تحدد فى : المناقشات السياسية والمشاركة السياسية . . وذلك فى حالة الافراد الاكثر اهتماما بمجالات المشاركة السياسية فى مقارنة بالافراد الاقل اهتماما ، من خلال الدراسة التى اجراها على ٤ مجموعات من الشباب فى فئات سن مختلفة .

بينما اوضح كينامر **KENNAMER** ان الاهتمام السياسى للفرد له تأثير على المعرفة السياسية للمرشحين اكثر من تأثيره على تفضيل مرشح معين أو نية الفرد للتصويت ، وذلك من خلال دراسته التى استهدفت التعرف على تأثير وسائل الاتصال على عدم الافراد للتصويت فى الانتخابات بالتطبيق على عينة من طلبة جامعة فرجيثا الامريكية عام ١٩٨٥ . فالفرد الاكثر اهتمام سياسيا اكثر معرفة سياسية بالمرشحين بشكل عام .

واكدت دراسة بركويتز وبريتشاد **BER;OWITZ & PRITCHARD** على وجود علاقة ايجابية ما بين الاهتمام السياسى للافراد ، والقدرة على تحديد المرشحين فى الانتخابات الرئاسية الامريكية ، وحددت الدراسة الاهتمام السياسى كاحد متغيرات مجموعة المتغيرات الوسيطة الخاصة ببحث دور وسائل الاعلام فى تكوين المعرفة السياسية لدى الجمهور و ضرورة مراعاة متغير الاهتمام السياسى كعامل مؤثر فى تشكيل اتجاهات فكرية ومعرفية لدى الجمهور تؤثر على عملية ادراكه للاعلانات السياسية حيث ان ادراكات الجمهور السياسية تتوقف على

اهتمامه السياسى . فهناك علاقة التكامل بين متغير الاهتمام السياسى ووسائل الاعلام ، حيث ان الاهتمام يلعب دورا اساسيا فى التصويت فى الانتخابات الاولية حيث يكون بداية للسلوك السياسى للفرد ، يعقبه تأثر الافراد بالرسائل المقدمة من خلال الصحافة والتليفزيون والتصويت فى الانتخابات العامة بعد ذلك . كما ثبت دور متغير الاهتمام فى تعرض الفرد لمواد التليفزيون السياسية وفى الاهتمام باتخاذ سلوك فى الحملات الانتخابية الامريكية عام ١٩٨٨ ، وكذلك المناقشات السياسية وتدعيم الافكار والاراء التى تتفق مع الانتماء الحزبى للفرد . وذلك من خلال سؤال المبحوثين وقياس الاهتمام من خلال مقياس متدرج خماسى :

** هل تهتم بحملات الرئاسة الانتخابية الامريكية ؟

* مهتم جدا" * مهتم لحد ما * لامهتم ولا غير مهتم (محايد) * غير مهتم لحدما * غير مهتم ابدا .

فانه من الثابت ان من العوامل المساعدة على تشجيع المبحوثين للمناقشات السياسية، متغيرين اساسين وهما: الاهتمام السياسى **POLITICAL INTEREST** , - الكفاءة الشخصية أو الذاتية **SELF EFFICACY** ما يؤكد اهمية متغير الاهتمام كمتغيرات فردية تتحكم بشكل اساسى وخصوصا فى المراحل الاولى من عملية تكوين الاتجاهات وتشكيل المعارف ومن ثم عملية المشاركة وكافة انواع السلوك السياسى الاخرى .

ج - التقمص الوجدانى :

يعد التقمص الوجدانى احد المتغيرات النفسية التى يفترض وجودها عند الأفراد بنسب ودرجات متفاوتة لإحداث التأثيرات السلوكية بشكل مختلف، فهو بذلك يعد احد أنماط الفروق الفردية بين الجمهور.

ويعنى بمفهوم التقمص الوجداني: القدرة على معايشة ما يشعر به الآخرون ويدركونه وحتى ما يقومون به من سلوكيات، كأن يعايش احدنا الأحوال المختلفة لشخص أخر معايشة تامة.

وعرف ويليام هويل **W. Howell** الشخص المتقمص وجدانيا **Empathic Communicatiot** بأنه الشخص الذى يستجيب بحساسية لما يدركه الآخرون من مشاعر وتصورات (٢٤)

اما هورتون كولى **H. Kolley** فقد عبر عن التقمص الوجدانى بما اسماه بمبدأ الأفكار الشخصية ، والذى يفترض أن الأفراد يستطيعون الانتساب إلى بعضهم البعض ليس على أساس صفاتهم الواقعية ولكن من خلال الانطباعات التى يخلقها كل منهم لدى الأخر من خلال عملية التفاعل الانسانى (٢٥)

فالتقمص يساهم فى فهم التطلعات والاحتياجات للآخرين على الرغم من انه غير مرئي ، ومن ثم يمكن فهم تطلعات **واحتياجات الفرد شخصيا**، ويفترض هويا أن عملية التقمص الوجدانى من شأنها أن تخلق نوع من التوازن لدى الفرد من خلال الرغبة فى الحصول على ما يريد بدون أن يتكبد خسائر ، وذلك من خلال حوار الشخص لنفسه كجزء أولى من عملية التقمص ثم وضع نفسه أو تقمص الدور الذى يساعده فى تخيل ما يريد (٢٦) .

نظريات التقمص الوجدانى :

عند البحث فى التراث النظرى المتعلق بنظريات التقمص الوجدانى يتضح وجود ثلاث نظريات رئيسية للتقمص الوجدانى :

١ - نظرية الاستنتاج " **Inference Theory**"

والتى أوضحها سولومان **Soloman** فى عام ١٩٥٢ ومفاداها:

أن الإنسان يخرج باستنتاجات عن حالة الآخرين بناء على خبراته هو السابقة وتفسيراته لسلوكه .، ومن ثم فهو يعتمد على المعلومات المتوافرة لديه عن نفسه وعن الآخرين ويبنى عليها استنتاجاته حيال سلوك الآخرين (٢٧) .

٢ - نظرية اخذ الأدوار " **Roles Theory** "

والتى طورها عالم النفس جورج ميد فى كتابه العقل والذات والمجتمع وهى ببساطة تعنى إننا نقوم بأخذ ادوار الآخرين من خلال عملية تقمص وجدانى لهذه

الأدوار من خلال تعلم متطلبات القيام بهذا الدور فنحن نتصور أنفسنا من خلال مواقف وظروف الآخرين، وتلقى هذه النظرية الضوء على المفهوم الاسقاطى داخل الفرد حيث نتحول من الاستنتاجات إلى اخذ ادوار الآخرين على أساس تنبؤاتنا(٢٨).

٣- نظرية دانيل ليرنر **D . Lerner** عن التقمص الوجدانى:

تعرض ليرنر **Lerner** فى كتابه الانتقال أو التحول من المجتمع التقليدى عام ١٩٥٨ إلى الفرق ما بين المجتمع الحديث والانتقالى والتقليدى ومعوقات عملية التحديث **Modmeization** فى الدول النامية

واتخذ ليرنر من ست دول فى الشرق الاوسط هى : -

(تركيا - لبنان ، مصر ، سوريا ، الاردن ، إيران) نموذجا له فى دراسته التى أكد فيها أن هناك مراحل محددة يمر بها المجتمع ليصل إلى التحديث معتمدا فى ذلك على عدد من المتغيرات: التعليم - الدخل بالإضافة إلى التقمص الوجدانى كمتغير وسيط يؤكد وجود البعد النفسى فى العملية الاتصالية واثبت أن :

زيادة التعليم والدخل والقدرة على التقمص الوجدانى لدى الأفراد تؤدى لزيادة التعرض لوسائل الإعلام ومن ثم زيادة المشاركة والإسهامات السياسية وتدفع إلى الإلمام بعملية التنمية السياسية والتى هى عماد اى عملية تحديث التقمص الوجدانى لدى ليرنر، وقد تعامل ليرنر مع التقمص الوجدانى(**Empathy**) على انه قدرة الأفراد على وضع أنفسهم فى ظروف ومواقف الآخرين الذين يلتقون بهم .

وأكد على أن وسائل الإعلام ساعدت على انتشار التقمص الوجدانى حيث إنها تخلق عالم خارجى جديد لدى المتلقى ومن ثم تزداد إمكانية تخيله وتصوره لمواقف جديدة للآخرين يمكن أن يتقمصها ويعايشها.

قياس التقمص الوجدانى لدى ليرنر :

استخدام ليرنر أسلوب الاسئلة الاسقاطية لقياس القدرة على التقمص الوجدانى من خلال تسع أسئلة هى :

١ - اى نوع من الأخبار ستقدمها إذا كنت رئيسا لتحرير صحيفة؟

٢ - ما الذى تعتقد انك ستفتقده إذا لم تقرأ الجريدة ؟

٣ - كيف تعتقد وجه الاختلاف بين الأشخاص الذى يذهبون لمشاهدة الأفلام **MOVIES** عن غيرهم الذين لا يفعلون ذلك ؟

٤ - إذا كنت مديرا لأحدى المحطات الإذاعية: اى نوع من البرامج تفضل أن تقدمها للمستمعين ؟

٥ - إذا لم تكن تعيش فى هذه البلدة، اى بلدة أخرى تختارها لتعيش فيها ؟

٦ - افترض بأنني لم اقل لك كل شئ تود معرفته عن هذه الدول اطرح لي سؤالين تريد الاستفسار عنهما ؟

٧ - تعتقد ما هى اكبر مشكلة يواجهها الذين فى مثل ظروفك ؟

٨ - تعتقد ما الذين يمكن أن تفعله لحل هذه المشكلة ؟

٩ - افترض انك رئيسا للحكومة : اذكر لى بعض الأشياء التى تريد فعلها ؟

وبهذه الأسئلة استطاع ليرنر أن يصل إلى نتيجة أن الأشخاص التقليدين فقط من أبناء المجتمع التقليدي هم الذين يقفون عاجزين إمام هذه الأسئلة ولكن أصحاب المهارات التقمصية (القدرة على التقمص الوجدانى) فكان لديهم أفكار متجددة وقدرة على التغير ، واعتبر ليرنر أن ولاء الأشخاص هم القوى الحقيقية المساعدة فى عملية التحديث السياسى، فالفرد الأكثر تقمصا ، أكثر استعدادا للمشاركة فى أمور الحياة المختلفة ، وهذه المشاركة الجماهيرية هى التى تظهرميل الدولةودرجة التحديث فيها **Modernization** (٢٩).

وعليه فتشجيع خاصية التقمص الوجدانى للشباب قد يساعدهم فى تخيل أنفسهم فى ادوار الزعماء السياسيين ومن ثم الأدوار التى يقومون بها بعد ذلك كنشاط سياسى .

-كما قارن ماكلوهان بين قدرة مشاهدة **T . V** ومشاهد الراديو على التقمص الوجدانى فى عام ١٩٦٤ حيث اكد ان مشاهد **T . V** اكثر قدرة على التقمص الوجدانى مقارنة بمشاهد الراديو ، حيث يقوم مشاهد التليفزيون بعملية التقمص

الوجداني ، وعلى اساسه يبدأ في ملء الفجوات الناقصة في ضوء فهمه للشخصية التي تقدمها له الشاشة التليفزيونية. وقدم نموذجا لذلك ، الحوار التليفزيوني الذي دار بين نيكسون وكنيدي في عام ١٩٦٠ حيث كان نيكسون شخصية ممتازة للراديو أما كنيدي فكان تليفزيونيا جذابا لانه كان باردا مثل التليفزيون ، بمعنى ان شخصيته كانت درجة وضوحها منخفضة ، مما جعل المشاهد يملأ الفجوات التي تزيد ايضاح الصورة عن طريق التقمص الشخصي ، فكان بذلك كنيدي اكثر نجاحا من نيكسون في التليفزيون حيث ملأ المشاهد الفجوات حسبما يعتقد ويفضل .

- وفي ضوء تلك التصورات اكد ماكلوهان ان التليفزيون من شأنه ان يعود بالفرد الى التجارب الجماعية ويشجع المساهمة بدلا من الانسحاب والعزلة . اما دور التقمص الوجداني في خلق ردود افعال سلوكية على جمهور الشباب فقد تناولته دراسة تامبوريتي وسيف وهيدل (TAMBORINI ,STIFF & HEIDEL): حول القمص الوجداني كنموذج للسلوك العاطفي النفسي ، من خلال دراستهم على افلام العنف لمجموعة من الشباب تتراوح اعمارهم ما بين (١٨-٢٢) عاما وابرزت الدراسة اهمية متغير التقمص الوجداني EMPATHY في تعامل الشباب عينة البحث مع العنف المقدم في الافلام.

- وهي دراسة تفيد الاخذ في الاعتبار التقمص الوجداني كأحد المتغيرات الى لها تأثير كبير في خلق ردود افعال سلوكية على الجمهور وخاصة الشباب منهم .

- نفس النتيجة السابقة في دور التقمص لخلق سلوكيات جديدة توصل اليها تامبوريني وسلوموتسون وبوك TAMBORINI , R . SOLOMON SONT C . BALK في دراستهم عام١٩٩٣ حيث اثبتوا ان التقمص الوجداني يخلق حالة من الشعور بالارتياح والتوافق مع البيئة المحيطة وذلك من خلال تطبيق استمارة الاستقصاء على نحو ٢١ مبحوث من الطلبة ذكور واناث باستخدام الطريقة التجريبية ، وقياس ذلك عقب التعرض للافلام . ودراسات اخرى عديدة ، اثبتت ان التقمص الوجداني اصبح من العناصر الهامة في مناقشات السلوك العاطفي وابحاثه

، من منطلق ان سلوكيات الافراد عادة هى محصلة الانفعالات والعواطف الوجدانية والخبرات المعرفية والادراكية .

- وكان من ابرز هؤلاء الباحثون ستيف ، ميللر واليز ، وستولاندر وزيلمان واخرون ... وجميعهم توصلوا الى ان زيادة القدرة على التقمص الوجدانى اضافة الى انها تتبع من شخص اكثر يقظة ذهنية ، فهى تساعد ايضا على زيادة القدرة على النشاط واتخاذ سلوكيات غير نمطية والرغبة فى التجديد ومن ثم يمكن هنا ربطها بالاسهام فى عملية المشاركة وبذل الجهد اللازم لتحقيقها . اما بالنسبة للواقع فى المجتمع المصرى ، فقد اكد حامد زهران على دور **T . V** فى خلق وتشجيع خاصية التقمص الوجدانى لدى الشباب التى تساعد فى تخيلهم انفسهم فى ادوار الزعماء والسياسين ومن ثم الادوار التى يقومون بها بعد ذلك وهنا يبدو متغير التقمص الوجدانى لاهميته كمتغير نفسى فى العملية الاتصالية من شأنه ان يساعد على تقوية النشاط الذهنى ويقضى على حالة السلبية والخمول لدى البعض .

د)- المتغير الاجتماعى وجماعات الانتماء:

- استكمالا لمراحل عملية التأثير، يظهر وجود متغيرات اجتماعية مثل جماعات الانتماء ويساهم فى اختلاف التأثير المعرفى للأفراد مدى ارتباط الفرد بهذه الجماعات .

- فلقد أصبحت الدراسات التى تهتم بدراسة الجمهور وتأثيرات الوسيلة ، لتنظر إلى الفرد من منطلق انه فرد فى جماعة ، ويسلك سلوكا معينا فى إطار المجتمع والجماعة التى يعيش فيها ، حيث أثبتت الدراسات أن متلقي الرسالة شخص يتأثر بمناخ الجماعة التى ينتمي إليها لذلك فان تأثير وسائل الاتصال يكمن فى محتوى هذه الرسائل السياسية ومدى تأثيرها على الأفراد ، والذى يرتبط بالضرورة بمناخ الجماعة التى ينتمي لها الأفراد.

ويؤكد كلابر **Klapper** فى نموذجه على دور عادات وقواعد الجماعة **Groupnorms** كعامل وسيط فى عملية تأثير وسائل الاتصال على الأفراد ، حيث

يتفق الفرد مع القيم والعادات والمعايير داخل جماعته من خلال تأثره بها حيث يستمد أحساسا بالأمن والطمأنينة من وجوده داخل جماعته ورضائها عنه (٣٠).

واتفاق الفرد مع جماعاته يأتى فى مرحلة التعرض للمعلومات ثم تدعيمها وبعد ذلك مرحلة التحويل والتغيير، وان كان ذلك يتوقف على درجة تقدير الفرد لجماعاته، فكلما زاد تقدير الفرد لجماعاته كلما كان أكثر اتفاقا وتماسكا بآراء جماعاته والعكس صحيح .

ويشير روجزروكنكايد Rogers & Kinkaid إلى أن الأفراد يتناولون المعلومات من الواحد إلى الأخر للوصول إلى الفهم المشترك والعمل الجماعى ويهتم هذا النموذج بدراسة العلاقات بين الأفراد فى الجماعة، وكذلك العلاقة بين الجماعات المختلفة وصولا إلى نشر المفاهيم بنفس المعانى للأفراد، وحثهم على معرفة البيئة من حولهم، والإحساس بالمشكلة المحيطة بهم.

وجوهر هذا النموذج هو التفاعل والمشاركة بين الأفراد فى شكل دائرى Cyclical كما يتضح من الشكل التالى (٣١) .

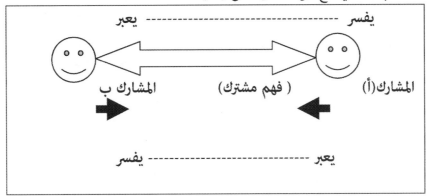

(شكل يوضح نموذج التفاعل والمشاركة بين الأفراد)

أنواع جماعات الانتمـــاء :

يحددها ال دوسن R. Dowsan وبرويت Prewitt بنوعين:

أ - الجماعات الأولية : وهى جماعة قليلة العدد ولها تأثير كبير على أفرادها من خلال عوامل الارتباط الشخصى الوطيدة بينهم .

ب -الجماعات الثانوية : وهى جماعة اكبر عددا وأكثر تنظيما ، ولكن يخف حدة تأثيرها على أفرادها بالمقارنة بالجماعات الأولية ، إلا أن ذلك لا ينفى اتفاق الفرد مع اهتمامات وقواعد وأنماط جماعته ولكن بنسب متفاوتة [٣٢] .

اما هـكيلى H.Kelly فيعرفها بالجماعات المرجعية Reference Group ويقسمها لثلاث أنواع :-

١ -جماعات ينتمي لها الفرد فعلا ، أولا يكون عضوا فيها ولكنه يتخذها نمطا لإحكامه وسلوكه .

٢ -جماعات موجبة يطمح الفرد فى الانتماء إليها ، أو سالبة يرفضها .

٣ -جماعات ذات مصلحة تفسر الأحداث فى إطار مفهومها ومصالحها واهتماماتها[٣٣] .

أهمية جماعات الانتمـــاء :

- تعمل جماعات الانتماء كقنوات اتصال داخل ا لمجتمع حيث يتوافر للفرد الكثير من الأفكار والمعلومات حول النظام السياسى والاجتماعى وكذلك تساعده فى تشكيل اتجاهاته من خلال علاقات الجماعة ببعضها.

- تلعب الجماعة دورا حاسما فى المساعدة فى تحديد الادراكات والمفاهيم الأساسية للفرد واتخاذ موقف تجاه القضايا المحيطة .

- ويساهم الانتماء للجماعات فى تطوير السلوك الاتصالى مع وسائل الإعلام ومفرداتها بصورة واضحة ، نتيجة للتفاعل الذى يميز جماعات الانتماء .

- قد تعد الجماعة وقواعدها عنصر مقاوم للتغير فى سلوكيات واتجاهات أفرادها ،مما يساعد على تشكيل العقلية السياسية لهؤلاء الأفراد وبناء مكون معرفى جديد

يساعد على استيعاب مفهوم المشاركة والعمل به .

فعلى سيبل المثال أثبتت الدراسات قوة العلاقة ما بين الفرد و الأسرة والجماعة والانتماء الحزبى حيث أن ٧٥% من الأبناء يشاركون الإباء فى نفس التفصيلات الحزبية والتوجهات السياسية .

تتعدد الدرسات التى تتناول تأثير الجماعة على الفرد وسلوكياته ومعتقداته فمثلا تتعدد هذه الجماعات بأنواعها المختلفة (أولية - ثانوية) اسرة - اصدقاء - حزب.

-ومن ثم قدمت العديد من الدراسات التى تبحث تأثير كل نوع من هذه الجماعات على سلوكيات افرادها .

-فالفرد عادة يميل الى الاقتناع والتأثر باراء واتجاهات جماعاته حيال الموضوعات المختلفة ولكن بنسب متفاوتة ومن بين هذه الموضوعات سلوكيات الافراد السياسية

- حيث اثبت جون نلسون **J . NELSON** ، ان عضوية الفرد فى التنظيمات وانتمائه الى احد الجماعات تعد من العوامل التى تزيد من نسبة مشاركة الفرد السياسية . حيث يتجه هؤلاء الافراد الى القيام بسلوكيات سياسية مماثلة لافراد جماعاته .

- وعن دور الاسرة فى حياة افرادها ، يؤكد د. حامد زهران ان الاسرة تعتبر النموذج الامثل للجماعة الاولية التى يتفاعل الطفل مع افرادها وجها لوجه ، ويتوحد معهم ويعتبر سلوك هذه الجماعة بالنسبة لافرادها سلوكا نموذجيا.

وبالنسبة لجماعة الرفاق التى من اصدقاء وزملاء ينتمى لهم الفرد نجد ان الدراسات اثبتت ايضا وجود تأثير لهذه الجماعات فى حياة افرادها ووجود حجم من التماثل المتفاوت فى الاتجاهات والسلوكيات السياسية .فجماعة الرفاق لا تعدو ان تكون بناءا اجتماعيا غير رسمى ، يضم عدد من الافراد يجمعهم نوع من التقارب ، وغالبا ما تقوم العلاقات بينهم على اساس التكافؤ لها واثبتت الابحاث فى علوم الاتجاهات السياسية ان جماعة الرفاق تأثير كبيرا فى نقل وتعزيز الثقافة السياسية

وغرس قيم ومفاهيم جديدة ونماذج سلوكية سياسية . وانتماء الفرد لجماعة معينة يعد احد المتغيرات الوسيطة بين الرسائل واستجابة المتلقى ، حيث ان الجماعات التى ينتمى لها المتلقى يمكن ان تحدث اختلافا فى تأثيرات وسائل الاعلام ، فالاصدقاء يعملون كمرشح لمضمون وسائل الاعلام وهم يشتركون فى نفس المعايير والقيم والاتجاهات مما يخلق نوعا من التماثل بين افراد الجماعة فى استجابتهم للرسائل الاعلامية . وحول تأثير جماعة الاسرة على سلوك افرادها ، اثبتت دراسة ج . الموند وسيدنى فيربا ما للاسرة من دور كبير وهام فى عملية التنشئة السياسية لابنائها والقيام بالمشاركة .

-وتناولت الدراسة الاتجاهات السياسية والديمقراطية بالتطبيق على عينة ضخمة من الشباب المراهق فى خمس دول هى : امريكا ، بريطانيا ، المانيا ، ايطاليا ، المكسيك . فالاسرة تشكل ملامح الهيكل السياسى لابنائها بما يحتويه من معلومات ومعارف واتجاهات سياسية ، كما تساعد افرادهافى اتخاذ سلوكيات سياسية معينة تتشابه وتتفق معها .

اما برناردبرلسون **B . BERLSON** ، فتوصل الى ان ٩٠ % من نسبة الذين يصوتون فى الانتخابات يختارون مرشح الوالدين ، كما اظهرت الدراسة التى اجريت فى المجتمع الامريكى عن العلاقة بين الاسرة والانتماء الحزبى ان ٧٥ % من الابناء البالغين يشاركون الاباء نفس التفضيلات الحزبية رغم اختلاف البيئة الاجتماعية والاقتصادية للجيلين وهذه الدراسة تعمل على تأكيد دور جماعة الاسرة فى تنشئة الابناء من خلال تأييدهم للحزب الذى تؤيده هذه الجماعة وبذلك يكتسب الابن نفس الهوية للابناء دونما تغيير .

وعن تأثير جماعة الاسرة ، اكد ليبير وريباك(**LIEBES & RIBAK**) ، على ان هناك علاقة ايجابية ما بين المنظور السياسى للاسرة والمنظور السياسى للشباب من ابنائها ، وان هناك تشابه بين كلا من المنظورين من خلال دراستهما على عينة من ٤٠٠ شاب اسرائيلى وعائلاتهم داخل المجتمع الاسرائيلى لقياس مدى اسهام الاسرة فى المشاركة الســـياسية لابنائها الشباب ، وذلك مـن خـــلال التطبيق على نشـــرة

الاخبار الرئيسية فى التليفزيون الاسرائيلى (نشرة التاسعة مساءا) .

وكانت من نتائج هذه الدراسة ايضا ان هؤلاء الشباب يقومون بالمشاركة السياسية بانواعها وفقا للطريقة التى يمارسها الاباء وكذلك مدى اقتناعهم بالمادة الخبرية المقدمة وتعرضهم لبرامج الشئون العامة فى التليفزيون ومجالات المناقشة والمعرفة السياسية فهناك تماثل وتشابه بين الشباب وعائلاتهم فى كافة العناصر السابقة .

وتبرز هذه الدراسة كيفية تأثير ثقافات الاسرة السياسية كجماعة اولية فى تشكيل وخلق ثقافات واتجاهات وسلوكيات سياسية مماثلة لدى الابناء .

الا انه من الضرورى ان نشير الى الظروف الخاصة بالمجتمع الاسرائيلى حيث انه محاصر   وفى حالة توتر دائم مع المقاومة الفلسطينية والعرب وبالتالى يزداد اهتمام الافراد فيه بالضرورة بالمسائل السياسية . فالسلوك السياسى للفرد يتحدد بما قد يكون قد تراكم لديه من المعارف وقيم على امتداد   مرحلتى الطفولة والمراهقة ، تم بالقيم والمعارف التى يكتسبها خلال مرحلة النضج .

وبالنسبة لتأثير الاحزاب على اعضلئها وسلوكياتهم باعتبار ان الحزب يمثل نظاما   اجتماعيا وسياسيا يدور بداخل النظام السياسى العام ، نجد ان هناك عدد من الدراسات تناولت تأثير الاحزاب على سلوكيات ومعتقدات الافراد باعتبار الحزب جماعه انتماء لهؤلاء الافراد ففى دراسة فيربا وناى كيم المقلرنه التى قدمت عام ١٩٨٧ حول مشاركة الجماهير فى المجالات السياسية بالتطبيق فى سبع دول ، اثبت وجود احزاب سياسية وجماعات مصلحة تقوم بدور فعال فى اشراك الجماهير فى الانشطة السياسية المختلفة، وحول العلاقة بين استخدام الميديا والانتماء الحزبى للافراد اثبت كيم سميث ودوجلاس فيرجسون. K . SMITH & D FERGUSON ، فى الدراسة التى قدمها عام ١٩٩٠ باستفتاءتليفونى مع مجموعة من الناخبين الحزبيين حول استخدام هؤلاء للتليفزيون السياسى ، ان الطريقة التى يستخدم بها الفرد ذو الانتماء الحزبى التليفزيون السياسى ويعنى بها المواد والبرامج السياسية المقدمة من خلال T . V ، هى جزء من انتماء الفرد الحزبى ، فهناك علاقة ارتباطية بيـن الانتماءات الحزبيـة واسـتخـدام الفرد لمضمون الميديا والتليفـزيون

السياسى . فالاستخدام يكون وفقا لهذه الانتماءات ومدى خدمته لها .

- وعن مدى الخبره السياسية التى يستمدها الافراد التابعين لاحزاب من سياسات هذه الاحزاب قدمت دراسة ايونكوينج بارك **EUNKYUNG PARK** ، جيرالد كوسياك **GERELD . KOSICIKI** حول التأثير الحزبى على افراد الجماعة .

-وذلك فى عام ١٩٩٥ وتناولت العملية الادراكية التى من خلالها يقرر الجمهور تأييد موقف الرئيس السابق ريجان فى فضيحة ايران كونترا .. وهى دراسة اجراها معهد جالوب للرأى العام على نحو ١٥٠٢ مبحوث من ما فوق سن ١٨ ا عن طريق الاستقصاء التليفونى تعرضا لما قدم حول هذه القضية من خلال القنوات التليفزيونية.

- وابرزت الدراسة ان هناك اختلافات فى العملية الادراكية قائم على اختلافات فى مستوى الخبرة السياسية او ما اسماه الباحثان **POLITICAL SO PHISTICATION** وهم الافراد الاكثر معلومات سياسية ولهم مفاهيم ايديولوجية منظمة وتم قياسهم بالمستوى التعليمى الاعلى وتناولت الدراسة عدد من المتغيرات منها الهويه الحزبية **PARTY IDENTIFICATION** والايديولوجية **IDEOLOGY** فالهويه الحزبية من العوامل الهامة فى العملية الادراكية بالتأييد او المعارضة لريجان وقسمت الاراء بين الاحزاب الامريكية الثلاث : الديمقراطى ، الجمهورى ، المستقل فاذا كان الحزب التابع له الفرد مؤيد لموقف ريجان كان ذلك نفس موقف افراده ، والعكس صحيح .

-وتناولت الدراسة عددا اخر من المتغيرات الديموجرافيه والسياسية وكذلك الانتباه والانطباع تجاه ريجان والميديا كمتغيرات وسيطة الا انه من المناسب للمتغير محل الدراسة الحالية (جماعات الانتماء) الاكتفاء بتناول تأثير جماعة الحزب كاحد جماعات الانتماء المؤثره فى سلوك الافراد .

-وعلى مستوى الواقع المصرى ، يلعب الانتماء الحزبى دورا بارزا فى التأثير على اتجاهات وسلوكيات الافراد السياسية . ونذكر فى هذا الصدد نتائج الاستفتاء الـذى

اجرته جريدة الاهرام قبيل ايام من اجراء مجلس الشعب الاخيرة ١٩٩٥ - على عينة عشوائية قدرها ٨٣٠ مبحوث واثبتت النتائج ان متغير الانتماء هو المتغير الاساسى فى اختيارات المبحوثين واجاباتهم على اسئلة الاستفتاء . وقصد بالانتماء هنا : اختيار المبحوث للمرشح على اساس اتفاقه فى نفس الانتماء الحزبى والفكرى

المتغير الديموجرافى

يتحدد التأثير المعرفى والسلوك السياسى للأفراد بناء على عدد من المتغيرات الديموجرافية بين أفراد الجمهور مثل السن - النوع - التعليم .

فلم يعد الجمهور قوالب واحدة كما فى نظريات التأثير الموحد **uinited Effects** وانما أمكن تصنيفهم فى تصنيفات اجتماعية محددة ، ومن الطبيعي أن يتشابه أفراد الفئة الواحدة فى نواحى كثيرة ، ويكون للإعلام فى الغالب تأثير واحد فى سلوكهم وفى اهتمامهم بمختلف أنماط المضمون الاعلامى ومنها المضمون السياسى فوسائل الإعلام تقدم رسائلها لأفراد المجتمع الجماهيرى ، وهم بالتالى يتأثرون بها بشكل انتقائى .

فترجع هذه الانتقائية إلى موقع الفرد فى البناء الاجتماعى والسياسى الذى يتكون من عدد من الفئات الديموجرافية، فتأثير وسائل الاتصال ليس متماثلا ولكنه تأثير انتقائى محدد ومختلف نتيجة لمحدودية واختلاف الفئة التى ينتمي لها الأفراد .

فنظرية الانتقائية القائمة على المتغيرات الديموجرافية تفترض أن أفراد الجمهور فى مواقع مختلفة فى البناء الاجتماعى يتصرفون بشكل واقعى وهذا يشمل سلوكهم وتأثيرهم بمضمون الرسائل الإعلامية ، مابين الفقير والغنى ... الذكور والإناث ... المتعلم والامى ... الريفي والحضرى .. الشاب والكهل وكل هؤلاء يمثلون فئات مختلفة فى نظام اجتماعى معقد ، إلا أن السلوك داخل اى طبقة من الطبيعي أن يكون متشابه بشكل ملحوظ [٣٤] وهذه العوامل التى تؤثر تأثيرا كبيرا فى تفاوت حجم الكفاءة السياسية للأفراد

١ - النــــــوع :

- تتعـدد الدراسـات التـى تتنـاول تفـوق الـذكور عـلى الانـاث فى مجـالات المشاركة السياسـية ويعـود معظـم اسـباب ذلـك لطبيعـة المجتمعـات والطبيعـة الخاصة للمرأة التى تميل الى الهدوء تجنب كل ما مـن شـأنه ان يـؤدى الى احداث توتر .

-فلقد اثبت بارى جونتر **BORRIEGUNTER** ان الذكور لديهم معرفة اكـثر بالاخبار والاحداث الجارية عن الاثاث وذلك لاهتمام الـذكور بهـذه النوعيـة مـن المواد الاعلامية اما دراسة مالبرث **MILBRATH** - حول كيفية واسباب اشـتراك الافراد فى السياسيات وتداخلهم معها ، فقد توصل فيهـا الى ان المـرأة بوجـه عـام أقل ميلا الى المشاركة عـن الرجـل . فى مقارنتـه لحجـم المشـاركة مـا بـين الـذكور والاناث .

- أما جون نلسون **J . NELSON** فاكد على ان المرأة أقل مشاركة من الرجـل حتى مع مراعاة المتغيرات الاخرى مثل التعليم والعضوية فى التنظيمات واهـتمام المـرأة السياسـيى الا ان نلسـون لم يـورد تفسـيرا" لتلـك النتيجـة فى دراسـته .وفى دراسته التى اجرها على ١٦٣٥ شخصا امريكيا ، أكد جارى كيبـل **G . KEBB EL** على اهمية النشاط السياسى فى تفسير استخدمات اخبار الميديا حيث اكد على ان الرجل اكثر استخداما لاخبار الميديا فى النشاط السياسى عن المرأة .

- وعن دور المرأة السودانية ، فى المشاركة أكددت دراسة شادية مصطفى بـان مشاركة المرأة السودانية مرتبطة بزوجها اولا ، بمعنى أن المراة لاتشارك الا عنـدما يكون زوجها عضوا فى التنظيمات أو مشاركا بدرجة فعالة فيها وعلى ذلك تتوقف مشاركتها .وارجعت الباحثـة اسـباب تلـك التبعيـة الى وجـود عـدد مـن العوائـق الاجتماعية والاقتصادية هى التى تعرقل المشاركة التطوعية للمرأة السودانية .

- ودراسة سـودانية أخـرى ، عـن المشـاركة السـودانية للاقبـاط السـودانيين فى انتخابات ١٩٨٦ ، اثبتت ان الذكور أكثر مشاركة من الاناث بينما اثبتـت دراسـتان مصر-يتان ان هنـاك ضـعف شـديد فى عمليـة المشـاركة السياسـية مـن قبـل الفتيات بالمقارنة بمشاركة الشباب الذكور . وارجع كلا الباحثـان ذلـك الى الظروف الاجتماعيـة وطبيعـة النظام الاجتماعـى وطبيعـة المـرأة التـى تميـل الى الهدوء

- كما اثبتت دراسة حول ثقافة المشاركة السياسية للفلاحين المصرين الى وجود فجوة معرفية سياسية بين الذكور والاناث تزداد اتساعا لصالح الذكور ، وارجع الباحث تفسير ذلك الى طبيعة مجتمع الريف المصرى وتفوق الرجل فى هذا النمط من السلوك السياسى .

- واعتبر الباحث متغير المعرفة السياسية كاحد المتغيرات المفسرة لثقافة المشاركة السياسية لدى الفلاحين ، حيث ان حصيلة المعرفة السياسية للفرد هى احد المكونات السياسية لثقافته السياسية وقد تدفعه الى الاهتمام بشكل ايجابى بالمشاركة النشطة فى الحياة السياسية أو أن تدنيها قد يكون طريقا لسلبية الفرد ولا مبالاته

ومما تقدم نجد اتفاق معظم الباحثين على ضعف الدور السياسى للمرأة بوجه عام بين ذلك دورها فى عملية المشاركة السياسية للدرجة التى جعلت احد الباحثين يستبعد تماما فئة الاناث فى دراسته الاكاديمية التى تناول فيها قياس دور الاتصال فى تدعيم المشاركة

٢ - السـن :

-متغير السن من المتغيرات الوسيطة التى تؤثر فى عملية المشاركة السياسية بين فئات الافراد وقد تعامل معها العديد من الباحثين .

- فدراسة بارى السابقة **barrie** ، كان من نتائجها ايضا انه كلما زاد سن الفرد كلما كان معرفتة اكثر بالاخبار والاحداث اليومية عن الاطفال والاصغر سنا ، مما يعطى فرصة اوسع لاحتمالية المشاركة كما اكد روبن **robin** ، على ان البالغين يشاهدون التليفزيون من اجل الحصول على المعلومات اكثر من الاطفال وصغار السن الذين يتعرضون له للتسلية وقضاء وقت الفراغ

- وفى دراسة مقارنة امريكية ، اثبت فيرى **ferri** ، ان فئات الشباب الجامعى الذين يشاهدون برامج**T .V** بصفة دائمة لديهم معلومات اكثر من غيرهم من فئات الشباب فى المراحل المختلفة حول الاحداث الجارية .

- اما شيمر **shemer** فاشار فى دراستة التحليلية الميدانية على التأثير السلوكى

للتليفزيون فى عملية التعلم الاجتماعى ، ان التليفزيون له تأثير كبير على الشباب فى عملية اتخاذ القرار .

وحول تأثير متغير السن كمتغير ديموجرافى ، اثبت دان بركويتز وديفيد بريتشارد **dan berkowitg & david pottdard** ، وجود علاقة ايجابية بين السن ومستوى المعرفة السياسية من خلال اعتماد الافراد على وسائل الاعلام ، وذلك بالتطبيق على الانتخابات البرلمانية فى ولاية انديانا ١٩٨٦ باستقصاءات تليفونية لنحو ٣٤٨ مبحوث امريكى .وكانت المتغيرات تدور حول تجديد المرشحين ، تحديد القضايا ومعرفتها ، التفرقة بين المرشحين وفقا لموقفهم من القضايا ، باعتبار الاشكال السابقة من اشكال المعرفة المختلفة ، فثبت ان الاكبر سنا اكثر معرفة سياسية باشكالها المختلفة من الاصغر سنا.

-وعلى مستوى الواقع المصرى ، اثبت كمال المنوفى فى دراستة التى اجراها عن الثقافة السياسية للفلاحين ، ان الشباب اكثر من كبار السن استعدادا لمخالفة اوامر السلطة التى يرون فيها ضررا لمصالحهم ، كما انهم اكثر مزاولة لحق التصويت بدافع الايمان بضرورة الممارسة وبدوافع اختيار الاصلاح وليس خوفا من الغرامة مثلما فى حالة كبار السن وارجع الباحث هذه النتيجة الى رواسب الماضى وانعدام جو الحرية السياسية لدى الاباء .

٣ - التعليم :

-اثبتت الدراسات ان متغيرالتعليم بفئاته المتعددة يلعب دورا بارزا فى سلوكيات واتجاهات الافراد فى المجالات السياسية .فقد اظهرت استفتاءات الرأى العام فى اوربا وامريكا ، ان غير المشاركين فى التصويت يميلون الى ان يكونوا من الشباب ذوى التعليم الاقل من خلال الاحساس بعدم التاثير السياسي واتخاذهم لاتجاه الامبالاه . اما جيمس ستراوس **j . strous** فقد اكد فى دراسته على تأثير وسائل الاتصال على اتجاهات الفرد وسلوكه السياسي والاتجاهات السياسية ، فالاكثر تعليما يكونون اكثر استعدادات للمشاركة . كما ان التعليم يؤدى الى تدعيم القدرة الاستعابية لدى الافراد فقد اشار هوفلاند **Hovland** الى ان استيعاب الافراد الاكثر تعليما يكون اكبر دائما

من الافراد الذين هم اقل تعليما وبالتالى تزداد القدرة على معالجة المعلومات والربط بينها وبين المعلومات السابقة (٣). ويمكننا ان نفسر ذلك بان هذه القدرة تعد مرحلة اولية قبل القيام بالمشاركة الفعلية اما دراسة لاسترمالبرت L . milbrath حول المشاركة السياسية وتأثير العوامل الاجتماعية فى عملية صنعها ،فقد اكدت على ان المتعلمين اكثر عرضة للمشاركة من الطبقة غير المتعلمة وفى بريطانيا ، توصل مجموعة من الباحثين بيب - شارلتون - وموتى pipecharlton motey , الى ان الاشخاص ذوى المستوى التعليمى العالى الذين يتعرضون للاحداث الجارية هم الذين تزداد رغبتهم فى الانضمام لانظمة حزبية وهى تمثل احد انشطة المشاركة .ولايمكن تجاهل دراسة ولبرشرامw schramme التى ابرز فيها دور متغيرى التعليم والوظيفة فى التعرض لوسائل الاتصال حيث ابرز ان الفرد الاكثر تعليما يكون اكثر تعرضا لوسائل الاعلام الجماهيرية وتحت مفهوم النشاط السياسى بما يحويه من معرفة وثقافة وانشطة سياسية من بينها المشاركة اكد جارى كيبل g . kebbel فى دراسته حول النشاط السياسى للافراد ان زيادة مستوى التعليم من شأنها ان تؤدى الى زيادة قوة النشاط السياسى وكذلك زيادة استخدام الصحف لوسائل الاعلام . وايضا نفس الباحث كبل kebbel فى دراسه اخرى عن استخدام اخبار الوسيلة والنشاط السياسى اوضح ان الاكثر تعليما هم الاكثر انتظاما لاستخدام اخبار الميديا فى رسائلها المختلفة فى اوجه النشاط السياسى المختلفة ، ودعا الى ضرورة الاهتمام برفع مستوى التعليم كعامل من العوامل الوسيطة التى تؤثر فى النشاط السياسي للافراد . وباعتبار التصويت فى الانتخابات من احد الاشكال الرئيسية للمشاركة السياسية قدمت دراسة امريكية بشأن اشتراك الناخبين فى الانتخابات الرئاسية ١٩٨٠ وردود افعالهم تجاه الميديا كمصادر للمعلومات السياسية ، اوضح فيها روجر هيدلى R . hidely ،هاتلفون P . hemleton فى عام ١٩٨٢ من خلال مقابلات تليفونية على عينه مكونة من ٢٤٦ مبحوث : ان الناخبين الاكثر تعلما وادراكا بالقضايا واهميتها يميلون الى التصويت والمشاركة وابراز الفروق بين المرشحين المختلفين ...

ويمكن تفسير احجام الاقل تعليما من المشاركة باحساسهم بانهم اقل تأثيرا سياسيا فقد اثبت فى دراسته عن المشاركة السياسية لشباب سيناء ان الاقل تعليما

هـم الفئـة الاقـل مشـاركة واحسـاس بعـدم التـأثير السـياسى وارتفـاع نسـبة اللامبالاه لديهم . وتجدد الاشارة هنـا ان شـباب سـينا لايمثلـون الشـباب المصرى ككل فثقافتهم وبيئتهم ونمط انتاجهم يختلف تماما .

وفيمكن تقديم ما يسمى بفجوه المعرفة السياسية بين المتعلمين واللامتعلمين ، حيث ان متغير التعليم يـترك اثـارا ملموسـة وواضحـة عـلى تفـاوت المسـتويات المعرفية السياسـية ، فمتغير المعرفـة السياسـية احـد المتغـيرات المفسرـة لثقافـة المشاركة السياسية لـدى الفلاحـين ، حيـث ان حصـيلة المعـارف السياسـية للفـرد ،وهى احد المكونات الاساسية لثقافتة السياسية ، قد تدفعـه الى الاهـتمام بشـكل ايجابى بالشأن العام والمشاركة النشطة فى الحياة السياسـية ، او ان تـدنى مستوى هذه المعرفه قد يكون طريقا لسلبية الفرد ولامبالاته . ويمكننا ونحن نتحدث عن متغـير التعلـيم ان نـورد الدراسـة التاليـة عـن مفهـوم الكفـاءة السياسـية **POLITICAL EFFICACY** ويعنى بها الاحساس من قبل الفـرد بـأن سـلوكه وافعاله يمكن ان يكون لها تأثير على العملية السياسية ، ويساعد فى جعل التغيير الاجتماعـى ممكنـا . وان المـواطن يلعـب دورا فيـه وينظـر الى الاحسـاس العـالى بالكفاءة السياسية كمطلب هام للمشاركة السياسية والدراسة اجريت فى مجال الكفاءة السياسية فى العمل السياسى على مجموعة من البلدان العربيـة ، واثبـت ان هناك علاقة ايجابية طردية تربط بين الاحساس

- واعتبر بالمومبار ووينر **M . WEINER & PALOMBARA** متغير التعليم احد المتغيرات اللازمة لتحقيق التعبئة الاجتماعية السليمة حيث اكد على زيادة الرغبة والميل فى عملية المشاركة السياسة فى ظل مجتمع متحضر ووسائل اتصال جماهيرية مع انتشار التعليم بين فئات هذا المجتمع ووصف الباحثان كل هذه المتغيرات بعملية التعبئة الاجتماعية **Socialmobiliztion.**

كما توصل بينت وزملاءه الى ان التعليم هو افضل المتغيرات التى تسمح بالتنبؤ بعملية المشاركة السياسية **POLITICAL PARTICAPATION** من خلال دور وسائل الاعلام فى التأثير على السلوك للافراد ، حيث اثبت ان الاكثر تعليما يكون اكثر استعدادا للمشاركة السياسية والرغبة فى اللتحاق بجميع مراحلها من معارف واتجاهات وسلوكيات

دور الإعلام فى تكوين الاتجاهـات السياسية

رغم الاقتناع العميق لكثير من الباحثين بان السلوك السياسى للأفراد يرتبط بصورة المرء عن عالم السياسة التى تساهم وسائل الإعلام فى تكوينها ،مع وجود عدد من المتغيرات النفسية والاجتماعية والديموجرافية التى تساهم فى اختلاف تكوين هذه الصورة وهذه المتغيرات هى عناصر من النظام السياسى الذى يتشابه بداخله الفرد.

إلا أن الفرد يسعى فى الوقت نفسه للتعرض مع المادة الاتصالية السياسية المتوافقة مع اتجاهاته ويبتعد عن تلك التى تتعارض معه.

فعند دراسة آلية سعى الفرد للحصول على المعلومات ينبغى التركيز على سلوك الفرد تجاه رحلة السعى هذه تحديد العوامل المؤثرة على هذا السلوك ، ولو أن البعض يفسر هذه الانتقائية فى رحلة تحصيل المعلومات بمدى الفائدة الوظيفية للمعلومات وحجم ارتباطها باحتياجات الأفراد وهذا المدخل الوظيفى للتعرض لوسائل الإعلام يرى أن معرفة الاحتياجات المتنوعة لفئات الجمهور المختلفة تساعد \كثيرا فى معرفة السلوك الاعلامى لهذه الفئات واتجاهاتهم السياسية المختلفة .

مدخل المفهوم الشامل للاتجاه السياسى ABC

ويتضمن الاتجاه ثلاث مكونات رئيسية لبنائه حيث يمثل الاتجاه حجر الأساس فى عملية تكوين السلوك :

أ - المكون العاطفى :
مثل مشاعر الحب والاهتمام A (Affective Component) .

ب - المكون المعرفى :
مثل المعلومات والمعارف والحقائق C (Component Cognitive)

ج - المكون السلوكى :

مثل السلوكيات والتصرفات . B (**Behavioral Component**).

وشكلت هذه المكونات الثلاث ما يسمى بالمفهوم الشامل للاتجاه الذى يبحث فى العلاقة التأثيرية المفترضة بين المكونات الثلاث واتجاه هذا التأثير والاتساق بين المكونات الثلاث وتدور دراسات هذا النموذج فى ثلاث دوائر :-

أولا: المعرفة نحو موضوع الاتجاه (المشاركة السياسية) تقود إلى بناء مكون عاطفى ايجابي وهذا بدوره يقود إلى بناء مكون سلوكى، ابان المعرفة بالمضامين السياسية تؤدى إلىالسلوك السياسى للفرد والمعادلة التالية تعبر عن ذلك :

$$C \rightarrow A + B$$

وتؤيد اغلب دراسات معهد جالوب للرأي العام هذه المعادلة.

ثانيا : القيام بسلوك معين وليكن الانضمام لحزب معين قد يدفع إلى بناء المكون المعرفى للفرد عن هذا الحزب وهذا بدوره يساهم فى تكوين المكون العاطفى .

$$B \rightarrow C + A$$

وهى اقل قوة من المعادلة الأولى

ثالثا المكون العاطفى : كمتغير مستقل وليكن مشاعر الاهتمام تجاه احد الأشخاص قد يدفع إلى بناء المكون المعرفى للفرد عن هذا المكون ، وهذا بدوره قد يؤدى إلى إحداث سلوك معين نحوه .

$$A \rightarrow C + B$$

- فاهتمام المرء بمرشح معين قد يدفع للبحث عن معلومات عن هذا المرشح ثم انتخابه فيما بعد [٣٥] .

وفى معظم الحالات تؤيد المواقف السياسية المعادلة الأولى التى تفترض تكوين الاتجاه السياسى وفق العناصر التالية :

أ - المكون المعرفى يتمثل فى المعلومات السياسية التى تقدمها وسائل الاتصال .

ب - المكون العاطفى يتمثل فى الفروق الفردية بين الأفراد فى المجتمع .

ج - المكون السلوكى يتمثل فى إحداث السلوك السياسى المرغوب.

وبذلك فان اتجاه التأثير هو اتجاه دائرى **Circular** حيث إن كل من المتغيرات الثلاث تؤثر وتتأثر بالأخرى .

وعلى الرغم من اختلاف الآراء فى المعادلات الثلاث السابقة ، إلا إنها كلها تشير إلى ضرورة مراعاة العملية الدائرية فى اتجاه التأثير ما بين المكونات (المعرفية - العاطفية - السلوكية) عند التعامل مع اتجاهات وسلوكيات الأفراد .

وعليه فن هذه النماذج النظرية تؤكد مدى قوة الاتصال فى عملية التأثير السياسى على المواطنين بل وعلى السياسة وصانعى القرار حيث يتزايد اعتماد النسق السياسى على وسائل الاتصال فى نشر الأفكار التى يهدف هذا النسق أو النظام السياسى القائم إلى نشرها .

فالاتصال عنصر دينامكى مرتبط بعناصر أخرى ارتباطا عضويا وينبغى تنسيق اوجه نشاطه مع أنشطة القطاعات الأخرى والأنماط التنظيمية والمهنية والاقتصادية والتشريعية والأنظمة الأخرى المتصلة به،مع الالتزام بالسياسات العامة الموضوعة للدولة والتى تسير على هداها المؤسسات الاتصالية الحكومية وغير الحكومية.

ولقد أصبح الباحثون يربطون فيما بين الاتصال والسياسة كمرادفين؛ وارتبطت قياسات العلمية الاتصالية بقياس مستويات التغيير فى الأنظمة السياسية المختلفة،

لذلك فليس من المستبعد إن تصبح الرسائل الاتصالية معاقة كوسيلة انتخابية بسبب ضعف الديمقراطية على سبيل المثال فى النظام السياسى القائم.

ولابد إن يكون لها دور فى إثراء الحياة السياسية من توافر درجة من الإنارة والوعى يسمح بإجراء مناقشات سياسية وحوار سياسى لبناء وخلق الاستعداد للحركة والسلوك السياسى المساند لتنمية المجتمعات.

التعرض للاخبار والمواد السياسية الاعلامية :

فقد اعاد التليفزيون بمواده الاخبارية المتنوعة تشكيل الؤسسات السياسية فى اوربا واحدث ثورة سياسية فى العام الغربى لانه على حد قول الباحثين الاوائل امثال مارشال ماكلوهانى يخلق نوع جديد تماما من القادة القومين يتعاطف معهم الجمهور و تتزايد اهمية المادة الخبرية التليفزيونية يوما بعد يوم فى تشكيل اراء ومعتقدات الغالبية العظمى من الجماهير . ففى دراسه لمقارنة مصداقية اخبار الصحف و التليفزيون وحجم الاعتماد على الوسليتين للحصول على الاخبار يتفوقالتليفزيون فى الاخبار الدولية والقومية على الصحافة حيث كانت نسبة الاعتماد عليه ٧٦ % مقابل ٢٤ % للصحافة . وفى دراسة حول اشتراك الناخبين فى الانتخابات الرئاسية الامريكية عام ١٩٨٠ وردود افعال الجماهير تجاه الميديا المختلفة كمصدر للمعلومات السياسية ثبت ان المبحوثين اختاروا اخبار **T V** . كاكثر مصدر مفيد فى مجال المعلومات السياسية اما تيدجون - **TED JOHN** فأثبت فى دراسته حول انتخابات المانيا الغربية فى عام ١٩٨٤ اعتماد الناخبين على اخبار التليفزيون كمصدر اساسى للمعلومات حول العملية

السياسية واوضحت الدراسة ايضا ضرورة الفصل بين التسلية والتعليم فى الميديا حتى لاتعرقل رغبة الناخبين فى الحصول على المعلومات .فهناك اهمية لدور اخبار التليفزيون كمساهم فى تكوين المعرفة السياسية لدى الجماهير من خلال قياسها للتعرض للميديا وبين مستوى المعرفة السياسية لدى الشباب وابائهم .

- وويصفة خاصة هناك تأثير لاخبار التليفزيون المحلية على الفرد ان التليفزيون يعتبر مصدر اساسى لتقديم الاخبار و المعلومات بالنسبة للفرد الامريكى على نطاق الولاية التى يعيش فيها ٬ والتأثير على تفكير المتلقى بالنسبة للقضايا والمرشحين فى الانتخابات من خلال نظرية التنشيط بمعنى ان تنشيط فكرة تؤدى لتنشيط مجموعة افكار اخرى متعلقة بها حيث كان لاخبار التليفزيون دور ايجابى فى عملية التنشيط هذه ومن ثم اتخاذ القرارات حول الموضوعات السياسية. وحول تكوين رؤية نقدية اثناء مشاهدة التليفزيون اكدت دراسة كيفن اوريللى **REVIN , O . ٠REILLY** على ان اخبار التليفزيون تمد المتلقى بالانشطة الذهنية الضرورية التى يجب ان يتعلمها عندما يشاهد اخبار التليفزيون ومثل هذه الانشطة الذهنية تساعد على خلق روح المبادرة لدى الافراد وتقوية الرغبة فى المشاركة .

اما روبى **RUBEY** فى عام ١٩٩٠ ، فاثبت فى دراسته دور التليفزيون الاساسى والقوى فى عملية تشكيل الواقع اليومى الذى يحياه الفرد وفائدته فى امتداد المواطن بالمعلومات العامة وتكوين شخصيته .و فى دراسةبيب وشارلتون وموتى **PIPE, CHARLTON , MOTEY** السابقة حول تأثير المشاهدات التليفزيونية فى عملية التوجه السياسى واتخاذ موقف سياسى من قبل المشاهد البريطانى ، اثبت ان المشاهدة المكثفة لبرامج الاحداث الجارية قوى من الاحساس بالالتزام السياسى وتدعيم التعدد الحزبى والايديولوجى من خلال المناقشات والتحليلات التى تقدم .

اما دراسة جوفوت **J . FOOT** فى عام ١٩٩٠ فقد اكدت على ان اخبار التليفزيون وشبكاته كان لها دور ايجابى فى الحملات الانتخابية الرئاسية حيث ساعدت الرؤساء وقدمت الوسيلة لحث و تشجيع المواطنين لاتخاذ نوع من المشاركة.

وفى الارجنتين ، أثبت مورجان **MORGAN** من خلال دراسته ، ان هناك علاقة بين حجم المشاهدة التليفزيونية لدى الشباب فى سن المراهقة وبين مواقفهم تجاه السلطة السياسية فيما يخص حرية الرأى والتعبير والاكثر مشاهدة أكثر ميلا فى الاعتقاد فى وجوب الطاعة للسلطة ، كما أن المشاهدة تخلق نوعا من

التقارب بين الاتجاهات السياسية القائمة فهناك علاقة ايجابية بين الاعتماد على التليفزيون كوسيلة للمعلومات المناظرة وبين تقديرات وتقييم المشاهد للمرشحين وارتفاع احتمالات لتصويت لصالحهم وذلك يظهر مدى تأثير المادة الاخبارية التليفزيونية بمختلف اشكالها وفى شكل التحليل الاخبارى فى التأثيرعلى سلوك الجماهير السياسى .

-اما فى الصين ، فقد اثبت دراسة اجريت عام ١٩٩٤ ، عن اخبار الميديا وتأثيرها داخل المجتمع الصينى ان الصين تعتمد بشكل كبير على اخبار الميديا كمصدر رئيسى للمعرفة الاجتماعية وللخدمة العامة وخلق وعى عام بما يحدث داخل وخارج الصين .. واكدت الدراسة ان اخبار الميديا فى الصين تمد المجتمع الصينى بالخطوط الرئيسة للمعرفة التى يحتاجها لبناء هيكل قوى ، واساس للحكم الشيوعى ، وذلك من خلال التطبيق على اخبار التليفزيون الصينى .. ويضيف الباحثون فى تلك الدراسة ان اخبار الميديا منذ ايام الاصلاح الاخيرة عام ١٩٧٠ قد صارت شكلا من اشكال المعرفة والوعى للشعب الصينى

ويربط البعض بين التعرض لاخبار التليفزيون وحجم الفائدة السياسية للمشاهد وتصنيفهالسياسي من خلالها ، فقد اكد جرنر **GERBNER** انه من ايجابيات التليفزيون لدى البعض ان من يشاهده بكثافه اعلى يصنف نفسه معتدلا سياسيا **MODERATE** بينما قارىء الصحافة يصنف كمحافظ سياسيا ومستمعى الرديو يصنفون على انهم ليبراليون فاستخدام وسائل الاعلام

بمعدل اعلى يرفع من معدل النشاط السياسى وعلى الاخص المشاركة السياسية وذلك فى اطار الدراسة التى قدمها عن استخدام وسائل الاعلام والنشاط السياسي . وهو فرض يتوافق مع الاتجاه العام لعدد من الدراسات توكد انه مع ثبات الظروف الاخرى سياسيا واقتصاديا واجتماعيا فان وسائل الاعلام لها دور مستقل فى اثراء الحياه السياسية فى المجتمع من خلال اثارة المناقشات السياسية والحوار السياسى لبناء وخلق الاستعداد للحركه والسلوك السياسى .

- وفي اطار هذه الاتجاه العام توصل كورت لانج KURTLANG الى وجود العلاقة بين التعرض لوسائل الاعلام والمشاركة السياسية تعرف فيه على النوايا الانتخابية وعلاقتها بوسائل اعلام معينه .. وربط لانج بين نوع المعلومات وحجم الاستقرار او التغير في النوايه الانتخابية حيث ان نسبة المعلومات ودرجة المشاركة السياسية تزداد بزيادة التعرض بوسائل الاتصال والوعى السياسى

١ - Gabriel Almond & James Tolman , Eds , The Politicos Of The Develop[Ing Area , Princton N . J . , Princeton University Press , ١٩٦٠ , P

٢ -- Steven - Chaffee , Asking News Questions About Com & Politics , Political Com .Issues & Strategies For Re

٣- سعيد السيد ، التشابه دائرة في بناء الإجماع الاجتماعى ، مجلة الدراسات الإعلامية ، عدد ٥٢ - يولية ١٩٨٨ - القاهرة - ص ١٨ .

٤ -- Colin Seymour Urea . Political Impact Of Mass Communication , London Sage Publication , ١٩٤٧ , Pp : ٤٤ - ٦٣.

٥ -S . Chaffee , The Diffusion Of Political Information , Political Com ., London , Sage Publication , ١٩٧٥ . P : ٩٢ .

٦ - -Look ,

** Karl Deutsch , The Nerves Of Government , N . Y , Free Press , ١٩٦١ .

** Karl Deutsch ,Politics & Government , How People Decide Their Fate ? , Boston , Houlton Miffim Company , Chap . ٦. , ١٩٧٤ .

٧ - H . Laswall , Communication Research & Public Policy , Public Opinion Q Quarterly , ١٩٧٢ , Pp : ٣٠١ – ٣١٠.

٨ - T. Seymour Yre , The Political Impact Of Mass Media , Communication & Society , London , Constable , Beverly Hills

, . Sage Publications , ١٩٧٤ , Pp : ٤٤ ٥٠ .

٩ - S . Chaffee , The Diffusion Of Political Information ,
Political Com ., London , Sage Publication , ١٩٧٥ . P : ٩٢ .

١٠ – Look:

- Karl Deutsche , The Nerves Of Government , N . Y , Free
Press , ١٩٦١

- Karl Deutsch ,Politics & Government , How People Decide
Their Fate? , Boston , Houghton Miffim Company , Chap . ٦.
, ١٩٧٤

١١- Karl Deutch,The Nerves Of Government, Model Of Political
Communication And Control,Op.,Cit,P:٨٨.

١٢- حنان يوسف ، دور المادة الخبرية التليفزيونية فى تدعيم المشاركة السياسية
لدى شباب القاهرة ، رسالة ماجستير غير منشورة ، كلية الإعلام ، جامعة
القاهرة ، ١٩٩٦، ص:٧٤.

١٣ -- Gayle . Hollander , Soviet Political , Development In Mass
Media & Propaganda Since Stalin , N .Y , Pager Publishers ,
١٩٧٢ , P : ٤ .

١٤- Holliston , Milton , Chinese , T . V , Better Broadcasting For
Billon , Annual L Meeting Of The Association For Education
In Journalism & News Media , Washington , ١٩٨٩ . P . ٩

١٥ - Gabriel Almond & James Tolman , Eds , The Politicos Of
The Develop[Ing Area, Op.Cit,Pp:٣٣ -٤٥.

١٦ - M . Wafai , Senators , T . V . Visibility & Political
Legitimacy, Journalism Quarterly , Summer ١٩٨٩ , Pp : ٣٣٣ –
٣٣٩

١٧ - Raymond Bauer , The Obstinate Audience , The Influences Process From The Point Of Social Communication , A Psy Chologist(١٩) , Pp :

١٨ -H . Mendelssohn , Measuring The Processes Of Communication . Effects , P . O . Q , Fall ١٩٦٧ , Pp ٤ll : ٤١٤.

١٩ - M . De . Fleur & Sandra Rokoach , Theories Of Mass Communication, N . Y . , Longman Publishing Company , ١٩٧٠.

٢٠ -Goon Bitter , Mass Communication , An Introduction , N . J . , Hala Inc , Anglewood , Prentice , ١٩٧٧ .

٢١ - Chaffee & Scheduler , Measurement & Effects Of Attention To Media News , Annual Meeting Of Association For Mass Com . , California , August : ٣-٦ , ١٩٨٥ .

٢٢- Gregphilo , Seeing & Believing , The Influence Of Television , Rout Ledge , London , N . Y , ١٩٩٠ , Pp : ١١١ - ١٥٦ .

٢٣- D . Johnston , Image & Issue Of Political Information , J . Q , Summer , ١٩٨٩ , Pp : ٣٧٩ : ٣٨٢ .

٢٤ –W.. Howell ,The Empathic Communicator , Wads Worth Publishing Tompany , California , ١٩٨٢ , P : ١١٥ ,

٢٦ - حنان يوسف ، دور المادة الخبرية التليفزيونية في تدعيم المشاركة السياسية لدى الشباب ، رسالة ماجستير غير منشورة ، مرجع سابق .

٢٧- Soloman Asch , Social Psychology , Prentice , Hall , ١٩٥٢ .

٢٨- J . Mead , Mind , Self & Society , University Of Chicago Press ١٩٣٤ .

٢٩- D .Ler Ner , The Passing Of Traditional Society , Op . Cit .

٣٠ - J . Klapper , The Effects Of Mass Communication , Op . Cit

٣١-مختار أبو الخير ، فاعلية الاتصال الشخصى ، دراسات الاتصال ، عدد ١١ - ١٩٩٥ - ص ٣٩ .

٣٢- R . Dowsan & Kperwitt , Political Socialization , Boston , Little Brown & Company , ١٩٦٩ .

٣٣ -Kelly . H . ٢. Functions Of Reference Group , Basis Studies In Social Psychology N . Y . Holt . Rinehart & Winstion , Inc , ١٩٦٥ Pp : ٢١٠ : ٢١٤.

٣٤ -- M . De . Fleur, Theories Of M . C . Op . Cit .

٣٥- انظر :

حنان يوسف ، دور المادة الخبرية التليفزيونية فى تدعيم المشاركة السياسية لدى الشباب ، رسالة ماجستير غير منشورة ، مرجع سابق . - بسيونى حمادة ، دور الاتصال فى المشاركة السياسية ، دراسة ميدانية , مركز البحوث والدراسات السياسية ، كلية الاتصال والعلوم السياسية - جامعة القاهرة ، ١٩٩٥ ، ص٨ ،

Harry C . Trades , Attitude & Attitude Change , N . Y , London , Sydney , Toronto , John W -. Festinger , A Theory Of Cognitive Dissonance , Evanston , Illinois , Row Petersen .-- M . Rosenberg , An Analysis Of Effective Cognitive Consistency In Holland Carl & Rosenberg , Attitude Organization & Change , N . Haven , Yale Uni . , ١٩٦٠ .-Katz , Two Steps Flow Of Information M . C . , Illinois University , Free Press , ١٩٦٣ .

الفصـل الخامـس
الإعـــلام الـدولى
والسياسة الخارجية

- العلاقة بين الإعلام والسياسة الخارجية
- الاتصال الدولى .
- قوى الاتصال الدولى .
- وظائف الاتصال الدولى .
- نموذج الاتصال الاسلامى
- الاتصال الدولى وتكوين الصورة الذهنية
- مفهوم وتشكيل الصورة الذهنية .
- العرب فى وسائل الاتصال الدولية
- نموذج دور الاعلام الدولى فى تشكيل صورة العرب والمسلمين.

العلاقة بين الإعلام والسياسة الخارجية

يمارس الاتصال وفقا لرؤية كوهين**W.Kohen** أدوارا مختلفة فى عملية السياسة الخارجية فهو:

مراقب للشئون الدولية **Observer**،ومشارك**Participant** فى السياسة الخارجية عن طريق ما يقدمه صانع السياسة للميديا واستخدامه لها، وكذلك هو حافز ومثير للمبادرة**Catalyst** التى تتخذ فى عمليات السياسية الخارجية.

وقد اثبت دراسة لارسين الشهيرة **J.Larsin** التى أجراها فى الثمانينات تطبيقا للتغطية التليفزيونية إزاء أزمة الرهائن الأمريكية فى إيران ودورها فى السياسة الخارجية الأمريكية،قدرة الاتصال على المشاركة فى صنع السياسة الخارجية بأساليب وطرق مختلفة، الأمر الذى يؤكد تبادلية واعتمادية العلاقة فيما بين الاتصال والسياسة سواء على المستوى الداخلى أو الخارجى فى البيئة الدولية،ألا أن علاقة الاعتماد هذه هى أيضا تجسيد لعلاقة عدم التكافؤ فهى تشير إلى درجة من درجات التأثير المتبادل على أن يترك للباحثين تحديد كثافة كل علاقة ودرجة التكافؤ فيها وفقا لقوة وثقل كل دولة فى سلم القوى[١] .

الاتصال الدولى:

أصبح الاتصال الدولى فيما بين الدول من أدوات تنفيذ السياسات الخارجية تأثرا وتأثيرا بالوسائل الأخرى وهو فى حد ذاته انعكاسا لمدى قوة الدولة والأوضاع السياسية والاقتصادية والعسكرية والثقافية فيها، بل إن الاتصال الدولى بات أداة من أدوات الصراع الدولى فيما بين الدول ناقلا لعناصر القوة فى دولته وعاكسا لها للدرجة التى يساهم فيها الاتصال الدولى بشكل فعال فى صنع القرارات فى السياسة الخارجية، بنفس التأثير الذى تساهم به السياسات الخارجية للدولة فى صنع وتشكيل مضامين الرسائل الاتصالية الدولية، وذلك للدرجة التى وصفها فيها وليام بنتون**W.Beniton** مساعد الخارجية الأمريكي الأسبق بأن دبلوماسية الرأي العام

هى التى تلعب دورا مسيطرا فى الأحداث الدولية؛فانه إذ لم تستطع الحكومات توصيل مبررات سياستها وأعمالها بصورة فعالة ومقنعة إلى جميع العناصر المؤثرة والمرتبطة بهذه السياسات فانه من الممكن أن يساء فهمها وتتعرقل برامجها وأهدافها[٢].

قوى الاتصال الدولى:

ويعد الاتصال الدولى مرآة تعكس الأوضاع القائمة على المستوى الدولى من خلال قوة مزدوجة:

١-القوة التى يعكسها الاتصال الدولى وتشمل مجموعة القوى الاجتماعية والسياسية والعسكرية والاقتصادية والديموجرافية والتكنولوجية.

٢-قوة ذاتية خاصة به و تشمل مكونات العملية الاتصالية مثل القائم بالاتصال وقوة الرسالة والوسيلة والمتلقى ثم مراحل التخطيط والتنفيذ والمتابعة.

ومدى نجاح وفعالية الإعلام الدولى يتوقف على محصلة هاتين القوتين ،وأفضل الحالات هى التى تكون فيها القوة المزدوجة العكسية والذاتية فى أعلى درجاتها[٣].

وظائف الاتصال الدولى:

- الاتصال الدولى كوسيلة من وسائل السياسات الدولية:

حيث يعد الاتصال الدولى أحد أدوات تنفيذ السياسة الدولية والتى هى نتاج للتفاعل بين السياسات الداخلية والخارجية لدولة ما من جهة والسياسات الخارجية لدول أخرى مختلفة.

- الاتصال الدولى كوسيلة من وسائل التفاهم الدولى:

من خلال إبراز الوقائع والالتزام بالصدق والدقة والحقيقة، وهى ذاتها الوسيلة التى دعا ميثاق الأمم المتحدة،والنصوص الواردة فى القانون الدولى العام، وحيثيات الجماعات والمنظمات الداعية إلى السلام والعدل والتفاهم وهى صورة مثالية لم تتحقق حتى الآن وظهر بدلا منها صورة مناقضة مشوهة متمثلة فى نماذج التدفق

الدولى اللامتوازن فى مجال الاتصال الدولى مابين دول الشمال المتقدم ودول الجنوب الفقير المهمش.

- الاتصال الدولى كوسيلة من وسائل التنظيم الدولى:
بمعنى توصيل الرسائل ذات طابع التنظيم الدولى إلى الفئات المستهدفة،حيث تستخدمها المنظمات الدولية لتحقيق أهدافها مثل الأمم المتحدة فاسهاماتها فى الدول النامية واستخدام الاتصال كوسيلة من وسائل التنظيم الدولى.

- دور وسائل الاتصال فى العلاقات الدولية:
فهناك بعض الوسائل الدولية لها جانب إعلامي رغم أنها غير إعلامية مثل الأشكال الاقتصادية كالسلع والإعلان عنها،والبعثات الدبلوماسية ومنشوراتها وصحفها وإعلاناتها،وغيرها من الوسائل التى تبغى تدعيم العلاقات الدولية مستخدمة سبل الاتصال فى تحقيق ذلك.

- دور وسائل الاتصال فى حل الصراعات الدولية:
حيث تساهم وسائل الاتصال الدولية فى مواجهة الصراعات الدولية وحفظ السلام العالمى من خلال:زيادة حجم المعلومات فيما بين الأمم وتقريب وجهات النظر والقدرة على التحذير المبكر عن طريق التعرف على مواطن الصراع والتركيز عليها،وكذلك دورها فى حل الصراع وتسوية النزاعات عن طريق الوساطة والمفاوضات والتحكيم.

ورغم أن الاتصال الدولى من أهم وظائفه خلق التفاهم وحل الصراعات فيمابين الشعوب؛ألا أن الأخطار الواقعى فى مجال الاتصال الدولى مغايرا لتلك الوظيفة،وبات من أهم الموضوعات التى تطرح فى مختلف اللقاءات الرسمية والمتخصصة.

- واتسم الاتصال الدولى بسوء توزيع مصادر الأنباء فى العالم وتولدت الفجوة الاتصالية المستمرة فيما بين الدول المتقدمة والدول النامية انعكاسا لميزان القوة فى العالم ونبعت الأهمية المتزايدة لميزان التدفق الدولى للمعلومات لأنها تكون الأساس الذى تبنى عليه السياسات الوطنية تجاه المسائل الخارجية أو حتى يتقرر بناء عليه

السياسات الداخلية للبلاد،فحجم استقرار النظام الوطنى وسلامته يعتمد على قدرته على التعامل أو التفاعل مع البيئة الداخلية والخارجية فيما يطلق عليه التكيف Adaption مع تهيئة البيئة الداخلية للاستجابة السليمة للمنبهات التى يطلقها كرد فعل لتحديات البيئة الخارجية،فالتهديدات الخارجية من شأنها زيادة التماسك الداخلى فى حالة توافر بعض شروط منها:إحساس الجماعة بذاتها كجماعة،وإدراكها لخطورة هذه التهديدات وكذلك وعى الجماعة بدور الاندماج فيما بينها كوسيلة لدحض أية تهديدات[٤].

وهناك دور بارز لتأثير الميديا فى عملية تحديد الأجندة **Agenda-Setting** حيث يلعب هيكل ترتيب الأوليات دورا بارزا فى تحديد مجموع العلاقات بدءا من تأثيرات النظام الاجتماعى والسياسى على المؤسسات الإعلامية وعلى أفرادها بشكل خاص والذين يقومون باتخاذ القرارات الاتصالية وهى بالتالى تؤثر على إدراك المتلقى فالعلاقة دائرية بين جميع العناصر السابقة فالنظام المحيط يؤثر على أولويات النظام الاتصالى ،والنظام الاتصالى يؤثر على ترتيب أولويات الجمهور والذى من خلال أهدافه ورغباته يساهم فى ترتيب أولويات باقي الأنظمة[٦].

-لذلك فهى تتشابه فى إطارها مع الإطار العام الذى ينظم علاقة الاعتماد على وسائل الاتصال كخطوة هامة فى تطور تأثيرات الاتصال ونظرياته،فترتيب الأوليات يقوم على فرضية هامة وهى أن الميديا والمتلقى والمصادر بما تمثلها من أنظمة تتفاعل مع بعضها بشكل مماثل ومتساو وتقريبا[٧].

- فالاتصال وبالتحديد الاتصال الدولى فيما بين الدول أصبح من أدوات تنفيذ السياسات الخارجية تأثرا وتأثيرا بالوسائل الأخرى وهو فى حد ذاته انعكاسا لمدى قوة الدولة والأوضاع السياسية والاقتصادية والعسكرية والثقافية فيها، بل إن الاتصال الدولى بات أداة من أدوات الصراع الدولى فيما بين الدول ناقلا لعناصر القوة فى دولته وعاكسا لها، للدرجة التى يساهم فيها الاتصال الدولى بشكل فعال فى صنع القرارات فى السياسة الخارجية، بنفس التأثير الذى تساهم به السياسات الخارجية للدولة فى صنع وتشكيل مضامين الرسائل الاتصالية الدولية.

-وذلك للدرجة التى وصفها فيها وليلم بنتون W. Beniton مساعد وزير الخارجية الامريكى الأسبق بان دبلوماسية الرأي العام هى التى تلعب دورا مسيطرا فى الإحداث الدولية؛ فانه إذ لم تستطيع الحكومات توصيل مبررات سياستها وأعمالها بصورة فعالة ومقنعة إلى جميع العناصر المؤثرة والمرتبطة بهذه السياسات فانه من الممكن إن يساء فهمها وتتعرقل برامجها وأهدافها(٨).

والجذور التاريخية لاستخدام الاتصال والأعلام فى مجال السياسة الخارجية تعود إلى مئات القرون السابقة ، إلا انه فى تاريخ حركات الاتصال والدعاية السياسية الخارجية يمكن الوقوف على ظاهرة الاتصال الاسلامى واستخدام الأعلام والاتصال فى مجال نشر الدعوة الإسلامية فى جميع إرجاء المعمورة ، حيث تم الاعتماد على أسس وتكنيكات الدعاية بشكل محكم ومنهجي ومدروس للوصول إلى تحقيق خطط السياسية الخارجية فى نشر الدين الاسلامى .

نموذج الاتصال الاسلامى :

- كان الدين الاسلامى هو أول من رصد منهجية فى علم العلاقات الدولية وقواعد السياسة الخارجية تطبيقا للدولة الإسلامية الناشئة.

فتعريف العلاقات الدولية فى الإسلام هو السيرة بمعنى سيرة المسلمين فى غيرهم من الأمم ،فمع انتشار الدعوة وتشكيل الوحدة السياسية للعرب والمسلمين أصبح انتهاج الدبلوماسية أو العلاقات الدولية ضرورة جوهرية لدعم أركان الدولة الناشئة.

- فلقد عرف الإسلام بأنه دين دعوة أو دين اعلامى فالاتصال والدعوة يحملان المعنى نفسه على الصعيدين النظرى والعملى والفارق بينهما فقط فى حداثة كلمة الاتصال وعراقة كلمة الدعوة(٩).

فلقد درجت فى ظاهرة الاتصال الاسلامى عدد من المصطلحات المتقاربة وبرز مفهوم الاتصال والدعاية فى العديد من الآيات القرآنية والتى توضح المهمة

الاتصالية التى أنيطت برسول الله صلى الله عليه وسلم واقرأ قوله تعالى: ﴾... إن عليك إلا البلاغ ...﴿ (١٠)

وقوله: ﴾فإن توليتم فاعلموا أنما على رسولنا البلاغ المبين﴿ (١١) والبلاغ هنا بمعنى الإخبار أو الاتصال برسالة الحق وهو ذاته جوهر الرسالة الاتصالية على مر العصور المختلفة.

وفى مجال الدعوة قال تعالى : ﴾يا أيها النبى إنا أرسلناك شاهدا ومبشرا ونذيرا * وداعيا إلى الله بإذنه وسراجا منيرا﴿ (١٢).

- وقوله الحق: ﴾ادع إلى سبيل ربك بالحكمة والموعظة الحسنة وجادلهم بالتى هى أحسن ﴿ (١٣).

- وقد اهتم الدين الاسلامى باستخدام الاتصال كوسيلة للحرب النفسية لإحداث التفرقة بين صفوف الأعداء حيث قال الرسول(ص)لنعيم بن مسعود الاشجعى عندما جاءه معلنا إسلامه:(إنما أنت واحد من غطفان ،فلو خرجت تخذل عنا ما استطعت فان الحرب خدعة). والتخاذل المقصود به:بث روح التفرقة والهزيمة بين الأعداء(١٤).

دور الاتصال الدولى فى تكوين الصورة الذهنية للشعوب:

وهناك أيضا دورا رئيسا للاتصال الدولى عبر السياسة الخارجية وهو دوره فى تحديد وتشكيل عامل الصورة النمطية Stero - Typeفى تشكيل العلاقات الدولية بين الشعوب ولعل اقرب مثال لذلك هو الصورة النمطية للعربى لدى الغرب،والتى تؤثر فى الاتجاهات والمواقف وبالتالى فى السياسات الدولية.

ويساعدها فى ذلك عوامل مثل العامل الاقتصادى والجغرافى والايديولوجى والدينى من العوامل المؤثرة على العلاقات الدولية،ويفسر الموقف الغربى من إسرائيل وقضايا الأقليات الإسلامية فى العالم مدى تأثير العامل الدينى فى العلاقات الدولية رغم عدم وجود هذا العامل فى السياسات المختلفة المعلنة عند الغرب(١٥).

وهناك ارتباط وثيق بين الصور الذهنية والقرار وبقدر دقة الصورة لدى صناع القرارات تكون أرائه وتصرفاته ناجحة وبقدر عدم الدقة يكون الإخفاق فى التصرفات والتوصل إلى القرارات السليمة والملائمة بين البدائل المختلفة.

- فالقادة فى أي مجتمع يمكنهم إن يتخذوا القرارات التى ربما تغير وجه التاريخ وهى القرارات التى تحددها عوامل عدة من بينها صورة القائد عن ذاته وعن الآخرين وعن العالم اجمع، حيث تمثل الصورة الإطار النفسى العام لاتخاذ القرارات أو البيئة السيكولوجية التى تتم فيها عملية صنع القرار [١٦] والاتصال يؤثر فى رؤية الأفراد عن العالم المحيط بهم وكذلك مجوعة القيم والاتجاهات والمعارف والتى هى انعكاس للصورة التى كونها عن العالم المحيط عبر الرسائل الاتصالية المختلفة.

تشكيل الصورة الذهنية :

- يرتكز إسهام بولدنج **Bounding** فى تحليله للحقيقة السياسية **Political Reality** على فكرة إن السلوك السياسى يعتمد إلى حد كبيرعلى الصورة الذهنية **IMAGE**، فوسائل الاتصال تغير من الصورة الذهنية للإفراد والشعوب وهذه بدورها تؤثر فى السلوك السياسى النهائى.

-وينظر بولد نج إلى العملية السياسية كعملية اتخاذ القرار، كما إنها اختبار إلى ادوار القوى فى المجتمع واستجابة إلى الصورة الذهنية التى قدمتها وسائل الاتصال عن المجتمع وله.[١٧].

مفهوم الصورة الذهنية والنمطية

يختلف الباحثون فى استخدام المصطلح الدال على مفهوم الصورة النمطية أو الذهنية، فالبعض يستخدم كلمة الصورة الذهنية بينما يلجأ البعض إلى كلمة الصورة النمطية ويفضل فريق ثالث استخدام الصورة المنطبعة بينما يرى فريق أخر إن كلمة الصورة المقلوبة هى أدق تعبير عن المراد.

وباللغة الإنجليزية تستخدم عدة تعبيرات للدلالة على هذا المفهوم ومن ابرز هذه التعبيرات فى اللغة الإنجليزية**Stereo Type** ، **Image** ... حيث تعود كلمة **Imag** إلى

اصل لاتيني وهو **Imago** المتصلة بالفعل **Imitari** بمعنى يحاكي أو يماثل وبذلك تدل كلمة **Image** على المحاكاة أو التمثيل ويعرف معجم وبستر هذه الكلمة بقوله:تصور عقلى شائع بين أفراد جماعة معينة يشير إلى اتجاه هذه الجماعة نحو شخص معين أو شيء بعينه(١٨).

اما كلمة **Stereo-Type** فتستقى معناها من عالم الطباعة حيث تشير إلى القالب الذى تصب على نسقه حروف الطباعة وتدل فى وبستر **Webester** على الشيء المتفق على نمط ثابت أو عام على الصورة الثابتة التى يشترك فى حملها أفراد جماعة ما وتمثل رأيا مبسطا أو موقفا عاطفيا أو حكما غير متفحص.

وكلا الكلمتين **Stereo-Type، Image** تشتركان فى دلالتها على الصور الذهنية ولكن الأولى **Image** تعنى مطلق الصورة الذهنية عن الحياة والأشخاص فهى اعم واشمل من **Stereo Type** والتى هى أكثر خصوصية فى دلالتها على الصورة الثابتة التى تتسم بالجمود والتبسط فهى غالبا مرحلة لاحقة من مراحل تكون الصورة الذهنية لدى الإنسان عن الأشخاص والشعوب والأشياء.

فالصورة الذهنية التى تتكون من العالم الخارجى لدى الإنسان ماهى الا تمثيل مبسط لبيئة غير حقيقية وينتج هذا التمثيل بسبب ضيق الزمن الذى يمتلكه الإنسان فى هذه الحياة من جهة،ومحدودية الفرصة المتاحة له للتعرف الشخصى المباشر على حقائق العالم من حوله من جهة أخرى.

إلا أن تكوين الصور النمطية له فى حد ذاته وظائف نفسية حيث يحقق أمور ثلاث: قدر كبير من اقتصاد الجهد من خلال ما يقدمه التصنيف من اطر عامة جاهزة للتعامل مع الأخر والتنبؤ بسلوكه.يضيق من نطاق الجهل فى التعامل مع الاخرمن خلال المعرفة المسبقة بصورة ذلك الأخر مع التصنيف من خلال التصميم والتجريد.

وتتألف الصورة النمطية للإنسان أو الشعوب إلى ثلاث عناصر مميزة، وهى مجموعة الصفات المعرفية والعنصر العاطفى المتعلق بالميل لذلك الشخص والعنصر السلوكى الممثل فى مجموعة الاستجابات العملية تجاه ذلك الشيء.

فالصورة النمطية متصلة اتصالا وثيقا بالاتجاهات والمواقف والاستجابات العملية للفرد وبقدر ما تؤثر الصور النمطية فى إدراك الإنسان للأشياء، فإنها تؤثر من جانب أخر فى حكمها على تلك الأشياء والأشخاص لأنها تشكل جزء من إطارها الدلالى [١٩].

- دور وسائل الاتصال فى تكوين الصور النمطية:

تعد وسائل الاتصال من أهم القنوات التى تساهم فى تكوين الصور النمطية فى أذهان الناس..فالنسبة العظمى من الصور المتراكمة فى أذهان الأفراد تستقى من وسائل الاتصال المختلفة فوسائل الاتصال تمارس الوظيفة الإخبارية وهى تعمد إلى تفسير وبلورة الإحداث فى صورة معينة هى نتيجة لسلسلة من العمليات المعقدة والاختبارات الواعية[٢٠].

-فالوسائل الاتصالية أصبحت مصدر للمعلومات عن العالم المحيط بل وأدوات لتوجيه الأفراد والجماعات وتكوين مواقفهم الفكرية والاجتماعية ففي دراسة ثبت إن ٧٠% من الصورة التى يبنيها الفرد لعالم مستمدة من وسائل الاتصال المختلفة لدرجة إنها تساهم بدور اساسى فى تكوين وخلق ما يسمى بيئة الرأي (٢١) .

ومن هنا تأتى خطورة وسائل الاتصال الدولية فى صنع صورة ذهنية للدول أو الشعوب قد تكون خاطئة أو مشوهة فى بعض الأحيان من اجل صالح أجندة الدول التى تبنى هذه الصورة بل وتستخدم أحيانا هذه الصورة كعامل من أدوات أدارتها للصراع السياسى مع الدول الأخرى بل وربما تستخدم هذه الصور الذهنية الخاطئة كذريعة للتدخل الخارجى فى شون دول أخرى وسياساتها الداخلية .

نموذج دور الإعلام الدولى فى تشكيل صورة العرب والمسلمين:

وليس ببعيد ما يحدث من تشويه متعمد للصورة العربية والإسلامية كإفراد وشعوب ودول من قبل وسائل الإعلام الغربية من اجل غاية أخرى يتم نتفيذها الآن بشكل محكم وموجه وهو إعادة تشكيل الخريطة العربية والإسلامية لصالح

الأجندة العالمية التى يتحكم فيها ويلونها فى المقام الأول سيطرة القطب الامريكى الواحد .

وقد نجحت الدعاية المضادة فى تقديم صورة سلبية عن العرب منها:

- أن العربى مغامر وجبان يتسم بالجشع له عيون زائغة.
- أن العربى إرهابي بربرى لا قيمة لحياة الإنسان وكرامته لديه.
- أن العربى مسرف وثرى وجاهل ويركض باستمرار لاصطياد النساء.
- أن العربى ضعيف ولا يستحق ما يملك.

وهى مرتكزات وادعاءات مشوهة تقوم على عناصر الاختلاف الثقافى والقيم والمعتقدات وذكريات الصراع الدينى والحروب الصليبية فى العصور الوسطى[٢٢] ، فلقد تمكنت الدعاية المضادة وبعض إمكانياتها الضخمة أن تساهم فى خلق هوة اتصالية بين العرب والغرب،إذ أن الدول الغربية تتحكم أساسا فى الاتصال الدولى ويلاحظ أن التغطية الإخبارية للاتصال الدولى الغربى تعكس بأشكال مختلفة السياسات الخارجية الغربية إزاء العالم العربى ومعادلة القوى العربية والمؤسسات العربية ، وكل ذلك يساهم بشكل كبير فى تفسير التشويه المرتبط بالصورة النمطية العربية.

الشخصية العربية في وسائل الاتصال الدولية:

- تعد الشخصية العربية والعالم العربى من أكثر الشخصيات عرضة للتشويه ومحاولة لخفض قيمتها الحقيقية كما حددها علماء الاجتماع فليست هناك شخصية قومية أحيط بها وضيق عليها الخناق من خلال حملة ثقافية مخططة ومدروسة لتشويه معالمها الرئيسية وخفض قيمتها مثل الشخصية العربية فقد تم التركيز عليها منذ مرحلة الغزو الاستعماري الغربى للعالم العربى والتى بدأت في القرن التاسع عشر واستمرت حتى النصف الثانى من القرن العشرين[٢٣] .

- وخاصة حينما يتعلق الأمر بالمعالجة الاتصالية للقضايا العربية والتى غالبا ما تعكس وجها مظلما من اوجه التدفق الاتصالى ،فإلقاء نظرة على خريطة التدفق

الإخباري فالعالم العربي داخليا وخارجيا يكشف لنا مدى النفوذ الهائل الذى تمارسه وكالات الأنباء العالمية في تشكيل صورة الحياة السياسية والاقتصادية والصورة الذهنية عن الشعوب العربية ومدى تشويه هذه الصورة في أذهان الرأي العام .

- فالأمة العربية تواجه الآن بأخطر تحديات تاريخها الحديث حيث يقابلها تصعيد من هجمات الإمبريالية والصهيونية الشرسة التى تستهدف إتمام ابتلاعها في وعاء التبعية للغرب بل وتصورها في ضعف وتخاذل كنتيجة لسمات أساسية في الشخصية العربية ،ومثال ذلك الكاتب الأمريكي الصهيونى الاتجاه رافائيل باى في كتابه العقل العربىArab Mind والذى وصف الشخصية العربية بسمات اللامبالاة والتواكلية واجترار الماضى وهدفه الرئيسى من ذلك تحقير العدو الذى هو بنظره يشمل كل العرب مهما تعددت جنسياتهم وهى صورة كاريكاتورية تصور العرب كشعب خاص لا يملك سوى الصفات السلبية بينما اليهود أيضا شعب خاص يملكون الإيجابية والتفوق،وهذه الصفات السلبية التى أطلقها الكاتب على العرب وفقا لنظريات العلوم الإنسانية والانثربولوجيا وعلم الاجتماع هى صفات من المنطقى أن تتواجد في بعض الفئات في كل المجتمعات العربية منها والغربية المتقدمة أيضا.

- فهناك حملة من التيار المعادى يواجه خريطة العالم المحيط بنا وهذا التيار المعادى هو ذلك الذى ينطوي على مجموعة من القيم المتناقضة مع هويتنا الثقافية وتعمل على تحطيم مجموعة القيم والتقاليد التى تحدد معالم الشخصية العربية.

- بالإضافة إلى أن مضمون هذه الأخبار سلبى عادة إذا ما تعلق الأمر بالدول النامية أو بالدول العربية فعلى حد تعبير أحد باحثى الاتصال العرب في وصفه للتغطية الغربية للعالم العربي: (شعوبنا وبلادنا تقدم إلى العالم العربي في قوالب محددة فلازلنا نركب الجمال ولا يوجد لدينا سوى الرمال أو البترول إذا ما تعلق الأمر باقتصادهم)(٢٤).

- وعليه فان دور الإعلام والاتصال الدولى في المشاركة فى صنع السياسية الخارجية دور اساسى ، من خلال مهارات صنع الصور الذهنية حيث تركز الأخبار

الدولية على الغرب وذلك لأن مصادر الأخبار غربية فى المقام الأول، من جهة مع سلبية التغطية الإخبارية لدول العالم الثالث و ميل الأخبار الدولية لأن تكون مبسطة للغاية.

لذلك يمكن استنتاج أن التدفق الدولى للاتصال يؤكد على الصور الذهنية الإيجابية للغرب عامة فى حين انه يربط من ناحية أخرى بين العالم العربى والاسلامى وجوانب التشويه والفشل ، فكيانات معينة تكون مستهدفة للتشويه أكثر من غيرها ومن أبرز هذه الكيانات هو الكيان العربى والذى يشمل إقليم الوطن العربى بدوله المختلفة نظرا لخصوصيته واحتوائه على العديد من المقومات الطبيعية والبشرية التى تجعله في دائرة الاستهداف دائما فلقد كانت الكتلة العربية مسرحآ للعديد من الهجرات مثل هجرات الهكسوس والكنعانيين والبابليين والغساسنة فالإسلام بانتشاره الواسع ، وكانت كذلك من ابرز مناطق الصراع الدولية ارتكازا على حضاراتها القديمة.

ورغم أنه من المؤسف أن المنطقة العربية تشهد الآن ثمة تفكك اقتصادي وسياسى إلا أن المعنيين بشئون الجغرافيا السياسية يرجحون أن كل هذه المتغيرات تشير إلى أن هذا التفكك مرحلى، ولن يستمر ولن تلبث المنطقة العربية من أن تجمع شتات قوتها ووحدتها لتتمكن من الاستفادة من المعطيات القومية والجيوبوليطيقيا ، وخصوصا مع التطور السريع الذى تشهده الساحة الدولية ومع انتشار معطيات السوق الحر حيث يمكن للوطن العربى لعب دورا أكثر تميزا من خلال ارتفاع نسبة العمالة فيه نتيجة للثروة السكانية المتزايدة باطراد فيه حيث يصبح مجالا خصبا للسوق الحرة وللدخول فى آلياته [٢٥].

وان كانت هذه الرؤية الايجابية لن تتحقق إلا من خلال رفع معدلات التنمية البشرية فى هذه البلدان ، والتى يجب إن يساندها إعلام عربى واسلامى دولى قوى ومتوازن وواع يتوحد مع خطط السياسات الخارجية ويعمل على تحقيقها من خلال استثمار العلاقة الوثيقة التى تربط ما بين الإعلام والسياسة الخارجية .

مراجع الفصل الخامس

١-cherry colin, world communication ,threat or promise? A socio technical approach,london,willy-inter science,١٩٧٩.

٢- لمزيد من التفاصيل: راجع:

السيد عليوة، إدا، أصولصراعات الدولية، سلسلة الألف كتاب، عدد٥٥، الهيئة العامة للكتاب، القاهرة، ١٩٨٨.

محمد على العوينى، أصول العلوم السياسية، أصول العلوم السياسية، عالم الكتب،القاهرة،١٩٨١ ،بسيونى حمادة،دور وسائل الاتصال فى صنع القرارات فى الوطن العربى،مرجع سابق.راسم الجمال،البيئة الدولية والاتصال والأمن الوطنى،مجلة بحوث الاتصال،مرجع سابق. مصطفى المصمودى، النظام العالمى الجديد،مرجع سابق.جعفر عبد السلام، الاتصال الدولى واختراق السيادة والتعامل معه، ورقة مقدمة لندوة الاتصال الإسلامي، رابطة الجامعات الإسلامية، القاهرة، ٢٨- ٢٩نوفمبر١٩٩٨.

٣- السيد عليوة، إدارة الصراعات الدولية، سلسلة الألف كتاب، مرجع سابق، ص:١٣.

٤- groom. A.j.,mitchell,c,r ,international relations theory, a bibliography, frances printed ltd.,london,١٩٧٨,p:٧٧.

٥-james larsen,t.v.&us policy ,the case of the iran hostage crisis, journal of communication, autumn ١٩٨٦,pp:١٠٩-١١٣.

٦- محمد عبد الحميد ,نظريات الإعلام و اتجاهات التأثير , عالم الكتب , القاهرة ,١٩٩٧ , ص ص : ٢٣٤-٢٣٥ ٠

٧- ملفن دى فلور وساندرا روكيتش،نظريات وسائل الاتصال،ترجمة: كمال عبد الرؤوف، دار الفكر العربى القاهرة،١٩٨٩،ص:٢٢.

٨-**denis mcqueen, mass communication theory, an introduction , sage publications , j.w . Arrow smith ltd , bristol , britain , fifth printing , ١٩٨٤ , p :٤٦.**

٩- محيى الدين عبد الحليم، الاتصال الاسلامى، وتطبيقاته العملية، القاهرة،مكتبة

الخانجى١٩٨٤ ، ص ص:٥-٦.

١٠--الشورى:,٤٨

١١ -المائدة:,٩٢

١٢ -الأحزاب:,٤٥،٤٦

١٣ -النحل:,١٢٥

١٤- عبد التواب مصطفى، العلاقات الدولية والسياسة الخارجية فى الإسلام ، الملتقى للإنتاج الفنى ، الثقافى،عدد(١)،ج.م.ع.،يناير:١٩٩٤،ص:,٨٩

١٥- محمد على العوينى،العلاقات الدولية المعاصرة، النظرية؛ التطبيق؛ الاستخدامات الاتصالية؛ الانجلو، الطبعة الأولى،١٩٨٢ ،ص:,٤٥

١٦- -راجية احمد قنديل،صورة إسرائيل فى الصحافة المصرية،رسالة دكتوراة غير منشورة،كلية الاتصال،جامعة القاهرة ،١٩٨١،صص:٥١-,٥٣

١٧- **austin ranny, channels of power, the impact of television on americans politics, new york , inc .,publishers, basic book,١٩٨٣.p:٣.**

١٨-**webster 's new colligate dictionary, spring field ,mass :g& c.merrian co.,١٩٧٧,p:٥٧١.**

١٩ - عبد القادر طاش ،صورة الإسلام فى الاتصال الغربى،الزهراء للإعلام العربى،القاهرة،١٩٩٣،ص:,٢١

٢٠ - د.ز.مانيكان ،تدفق المعلومات بين الدول المتقدمة والنامية،ترجمة:فايق فهيم،الرياض،دار العلوم،١٩٨٢،صص:١٧-٢٠.

٢١ -غازى زين عوض الله، العربى فى الصحافة الأمريكية ، جدة ، تهامة ، ١٩٨٥، ص:١٨,.

٢٢- انظر :

- حنان يوسف، المعالجة الإخبارية للقضايا العربية فى شبكتى cnn و euronews ، دراسة مسحية مقارنة ، رسالة دكتوراة غر منشورة ، كلية الإعلام ، جامعة القاهرة ،٢٠٠٢، صص: ١٣٣-٢١٤.

-n .a.jurdi, <u>image and foreign policy</u>, a case study of international communication, dubai, ١٩٨٢,p: ١٢.

-   Michael w. Suleiman, <u>the arab and the west, communication gap</u>, in essays on the american public opinion and the palestine problem, beirut , palestine research center ١٩٦٩,and pp: ١٧-٢٣.

٢٣-السيد ياسين،<u>الشخصية العربية بين صورة الذات ومفهوم الآخر</u>،بيروت،دار التنوير،ط:٣،١٩٨٣،ص ص:٧٠_٧٣.

٢٤- حمد عبده يمانى،<u>أقمار الفضاء..غزو جديد</u>،سلسلة دراسات وبحوث تليفزيونية،جهاز تليفزيون الخليج،عدد(٩)،١٩٨٤، ص:٥٤.

قضايا خــلافــية

الإعلام والسياسة ٠٠٠٠٠ وعلاقة العسل والنحل

العلاقة المتداخلة الحساسة ما بين الاعلام والسياسة هى علاقة شائكة والتى يمكن ان توصف بانها علاقة العسل والنحل وان كان السؤال ايهما يكون العســل وايهما يبقى النحل ؟؟؟

فالرؤى السياسية المختلفة تطرح دلالات العلاقة الاتباطية الوثيقة مــا بين علمى السياسة والاعلام من خــلال بحــث ماهيـة علم السياسة ومفهـوم النظم السياسية وتصنيفاتها المختلفة ، وكذلك النظريات والنظم الاعلامية المختلفة المرتبطة ارتباطا وثيقا بتطور النظم السياسة وانعكاساتها والمتابع لقيــاس العلاقة التاثيرية ما بين الاعلام والسياسة : يشهد تاثيراتهـا سـواء عـلى مستوى السياسة الداخلية وكيف يمكن تشكيل الاتجاه السياسى للمواطن ، او تاثير الاعلام عـلى صنع السياسة الخارجية من خلال دور الاعلام الدولى فى تشكيل الصـورة الذهنيـة للافراد والشعوب والتى من شأنها ان تؤثر على قرارات وسياسات الدول ازاء تلك الشعوب ، والعلاقة بين الاعلام والسباسة هى علاقة وان كنت تهـتم باستشراف المستقبل الا انها تستند على قراءات الماضى ومعايشة الحاضر، حتى يمكن ان سـبر اغوار هذه العلاقة المتداخلة الحساسة ما بين الاعلام والسياسة والتى يمكن ان توصف بانها علاقة العسل والنحل وان كان السؤال ايهـما يكون العســل وايهـما يبقى النحل ؟؟؟

وتثير هذه النقطة العديد من القضايا مثل طبيعة النظام السياسى وماهيته وحجم الديمقراطية فيه ومدى وجود تعددية حزبية وطرق صناعة القرار وحجـم المشاركة السياسية .

كما يرتبط بهذا العنصر ـ ايضا مـدى كفـاءة الاجهـزة الدبلوماسية والدعائية وقـدرتها على ترجمة امكانيات الدولة وتعبئتها بالشكــل الصحيح مـن حيث مـدى

التحديث السياسى والاجتماعى وبث الروح المعنوية وتعضيدها من خلال وسائل الاعلام المختلفة .

علاقة الاعتمادية بين الاتصال والسياسة

فمن المؤكد ان هناك ثمة اعتماد متبادل ما بين النظام والبيئة حيث أن تشكيل وأداء النظام السياسى لا يمكن أن يتم بمعزل عن معرفة الأساس البيئى بعناصره الطبيعية والتاريخية والاقتصادية والاجتماعية والثقافية وإعلام كل دولة إنما يعبر عن فكر وفلسفة النظام السياسى أو الأيديولوجية السياسية السائدة فيه ،بل أن نظريات الاتصال ذاتها تتحرك فى إطار الأنظمة السياسية المختلفة ،وتنتهج مبادئها وتنفذ تطبيقاتها

ويمكن تقديم نموذجا للعلاقة ذات الاتجاهين من خلال العلاقة التى تربط بين نظام وسائل الاتصال والنظام السياسى فكلا النظامين يعتمد على الآخر فى الحصول على مصادره وكذلك فى تحقيق أهدافه وهناك تغير فى علاقات الاعتماد على وسائل الاعلام يمكن تفسيره بان هناك مصدرين اساسيين للتغيير:الصراع والذى يتجسد فى فرص اعلى للسيطرة على المصادر وخلق علاقات من عدم التوازن لصالح فريق دون الاخر.والمصدر الثانى فى هذه العملية هو : التكيف وهو موضع الاهتمام الرئيسى للنموذج التطورى (الاجتماعى) حيث ان علاقات الاعتماد المتبادل بين وسائل الاعلام واجزاء اخرى من الكيان الاجتماعى يجب ان تمر بتغيير من اجل ان تبقى المجتمعات فى بيئات متغيرة ، ويكون مثل هذا التغيير المتكيف بطيئا فى العادة , وغالبا مايكون غير مخطط, ومن ثم فانه من الصعب ادراكه فى الوقت الذى يقع فيه .

فلقد عبر الموند **ALMOND** فى عبارته الشهيرة كل شئ فى السياسة اتصال عن ماهية الأدوار والوظائف المتعددة التى تقوم بها وسائل الاتصال فى خدمة النظام السياسى لدرجة تجعل من الصعب على النظم السياسية أن تتعايش دون الاعتماد على وسائل .

■ ويقف المتلقى على الجانب الأخر متعرضا لرسائل عديدة تساهم بشكل كبير فى إمداده بالمعلومات والمعارف السياسية وبناء فكره السياسى ، ووصولا الى تشكيل أراءه ومعتقداته واتجاهاته ومن ثم سلوكه السياسى ،فوسائل الاتصال تقف بين الجمهور والانشطة السياسية والمصادر الأخرى المتعلقة بالأيديولوجية الطبقية ، وقد أمكنها بفضل هذه الحالة الوسطية أن تعلق على التطور السياسى وتفسره ،حيث اصبح الاتصال ضرورة فى المجتمع ولا يستطيع الفرد أن يتواجد بدونه ومن ثم فان العمليات الاتصالية لها تأثيرها الكبير على طبيعة المجتمع بما فى ذلك نظامه السياسي ويظهر تأثير وسائل الاتصال على النظام السياسى لدرجة أن الأنشطة السياسية المختلفة فالوقت الحاضر يصعب ممارستها فى غياب وسائل الاتصال .

ويؤكد الباحثون فى مجال السياسة والاتصال على أهمية العلاقات المتبادلة بينها فالعلاقة بين الطرفين علاقة وثيقة للغاية وكلا منهما يتأثر ويؤثر بالأخر ،فالاتصال يمثل حلقة الوصل لرجال السياسة مع الجماهير والنخبة ، وكذلك يعد أحد القنوات الرئيسية للتعبير عن مصالح الجماهير وتوصيل رغباتهم ومطالبهم إلى الحكومة وصانعى القرارات ومن ناحية أخرى يؤثر النظام السياسى فى النظام الاتصالى من حيث ملكية الوسائل ومحتوى الرسائل المقدمة واتجاهات واداء القائمين بالاتصال داخل هذه المؤسسات الاتصالية ويزداد حجم هذا التأثير الذى يمارسه النظام السياسى على نظام الاتصال فى حالة البلدان النامية مرتبطا بسمات المجتمعات النامية وطبيعتها السياسية والاقتصادية والاجتماعية.

والمتلقى يقف بين الطرفين يعتمد على وسائل الاتصال كجسر يربط بينه وبين صانعى القرارات التى تصيغ له مستقبله السياسى ومن ثم بقية الجوانب الأخرى للدرجة التى وصف بها علماء السياسة الاتصال ،بأنه صار وسيطا فى صنع السياسات ، فهو يشارك فى العملية السياسية من خلال تركيز الانتباه على قضايا معينة من شأنها أن تدعم أو تغير الصورة الذهنية Image لدى الأفراد هذه بدورها تؤثر فى السلوك السياسى لهم فالطريقة التى يتصرف بها الأفراد حيال السياسات والاتجاهات والقيم السياسية ليست إلا انعكاسا للصورة التى كونها عن المجتمع من حوله

والتى استقاها من كم المعلومات التى وصلت إليه من خلال المضمون السياسى المقدم لوسائل الاتصال الجماهيرية .

يرتبط السلوك السياسى للافراد عموما بصورة المرء عن عالم السياسة والتى تطبعها وسائل الاعلام فى اذهان الجمهور وهى تمارس دورا مؤثرا فى حث وتشجيع الافراد على اتخاذ مواقف وسلوكيات سياسية من بينها المشاركة السياسية كم خلال ا المكون المعرفى **cognitive component** والذى يعد اهم متطلب فى عمليات النشاط السياسى ، ويقصد بالمكون المعرفى كم المعلومات السياسية الصحيحة التى يحصل عليها الفرد عن المجتمع من حوله عبر وسائل الاعلام فالرسائل الاعلامية ذات المضمون السياسى تمثل وحدات البناء المعرفى لدى كل فرد والذى من المنطقى ان يختلف حجمه من فرد الى اخر .

ومع التطور السريع لنظريات الاعلام ، توصل الباحثون الى اكتشاف مدى تعقد عملية التاثيرالاعلامى وانها ليست بهذا التأثير الواسع الغير محدود على الافراد باختلافهم وتنوعهم وان هذا الجمهور يحمى نفسه سيكولوجيا من بعض الرسائل الاعلامية ، فالجمهور كما وصفه ريموند باور **raymond pauer** جمهور عنيد يرفض التعرض بشكل سلبى للرسائل الاعلامية وله دور ايجابى حيالها فهو يختار من الرسائل ما يروق له دون غيرها . وفقا لعدد من الاعتبارات الانتقائية التى تختلف فيما بين الافراد ، والاشخاص يميلون الى التعرض بشكل انتقائى الى مختلف الرسائل الاعلامية وفقا لوجهة نظرهم وارائهم واهتماماتهم واستعدادتهم السابقة ويتجنبوا لما يعارضهم ويختلف معهم واذا ما تعرضوا لمادة اتصالية غير متفقة معهم يحدث لهم نوع من التشويش والتوتر وتتم المعالجة بتفسير هذه المادة وفقا لوجهات نظر الافراد حتى ولو كان هذا التفسير خاطئ أو يتنا سوها تماما فيما يسمى التذكر الانتقائى .

مدخل المفهوم الشامل للاتجاه السياسى : **ABC** :

ويتضمن الاتجاه ثلاث مكونات رئيسية لبناءه حيث يمثل الاتجاه حجر الاساس فى عملية تكوين السلوك :

اولا : المعرفه نحو موضوع الاتجاه (المشاركه السياسيه) تقود الى بناء مكون عاطفى ايجابى وهذا بدوره يقود الى بناء مكون سلوكى ، اى ان المعرفه بالمضامين السياسية تؤدى الى السلوك السياسى للفرد

ثانيا :القيام بسلوك معين وليكن الانضمام لحزب معين قد يدفع الى بناء المكون المعرفى للفرد عن هذا الحزب وهذا بدوره يساهم فى تكوين المكون العاطفى .

ثالثا المكون العاطفى : كمتغير مستقل وليكن مشاعر الاهتمام تجاه احد الاشخاص قد يدفع الى بناء المكون المعرفى للفرد عن هذا المكون ، وهذا بدوره قد يؤدى الى احداث سلوك معين نحوه .

فاهتمام المرء بمرشح معين قد يدفع للبحث عن معلومات عن هذا المرشح ثم انتخابه فيما بعد

فالاتصال عنصر دينامكى مرتبط بعناصر اخرى ارتباطا عضويا وينبغى تنسيق اوجه نشاطه مع انشطة القطاعات الاخرى والانماط التنظيمية والمهنية والاقتصادية والتشريعية والانظمة الاخرى المتصلة به،مع الالتزام بالسياسات العامة الموضوعة للدولة والتى تسير على هداها المؤسسات الاتصالية الحكومية وغير الحكومية.

ولقد اصبح الباحثون يربطون فيما بين الاتصال والسياسة كمترادفين؛وارتبطت قياسات العلمية الاتصالية بقياس مستويات التغير فى الانظمة السياسية المختلفة ، لذلك فليس من المستبعد ان تصبح الرسائل الاتصالية معاقة كوسيلة انتخابية بسبب ضعف الديمقراطية على سبيل المثال فى النظام السياسى القائم .

ولابد ان يكون لها دور فى اثراء الحياة السياسية من توافر درجة من الانارة والوعى يسمح باجراء مناقشات سياسية وحوار سياسى لبناء وخلق الاستعداد للحركة واسلوك السياسى المساند لتنمية المجتمعات .

أولا:اتجاهات الفساد الثقافي والاعلامى:

الوضع القطري : والذي يرتبط ارتباطا وثيقا بخدمة أفراد أو نظم أو سلطة عبنها بغض النظر عن النفع العام الذى يجب إن تؤديه من اجل دعم المسارات التنموية والنهضوية في المجتمع وتبرز في هذه الفئة مظاهر مثل : استخدام النفوذ في الثقافة والأعلام لتحقيق مأرب خاصة -سيطرة أشخاص أو أحزاب حاكمة على دعائية الانتخابات مما يعرقل حرية تداول السلطة عن طريق انتخابات نزيهة نظيفة - التستر على نماذج وقيم فاسدة

١- القائم بالاتصال: تعاظم دور الدولة وسلطة الحكومة أدت إلى الهيمنة أو السيطرة بشكل جزئي أو كلى على معظم وسائل الإعلام ومن ثم لتحكم في الخطاب الاعلامى والقائم بالاتصال فيه وتوجيهه وفق سياسته ورؤاه بما يخدم مصالحة حتى ولو بم يقتنع القائم بالاتصال أو تعارضت مع أجندته سواء على المستوى الداخلي أو العربي أو الخارجي.

كما ان هناك ألان العديد من التيارات التى ربما تكرس مدى الفساد بين جموع النجية المثقفة والاعلامية لدرجة إن وصفت بوجود طابور خامس من بينها بالإضافة إلى شراء واستكتاب المفكرين لتتوافق مع أفكار السلطة الحاكمة .

٢- الوسيلة :

تتنوع الوسيلة ما بين خاصة أو حكومية وإنما الملاحظ في الأنظمة العربية إن هناك هيمنة الدولة وتبعة وسائل الاتصال لها واثر ذلك في تغييب الوعي العام وضعف التأثير الراى العام العربي له

هيمنة السبطرة على وسائل المعلومات مما خلق ارتباط قائم مختل

نجاح النظم الحاكمة في اختراق الإعلام بكل وسائله واجهزته والسيطرة التامة عليه لترويح أفكار وسياسات معينة

تطور الإعلام الالكتروني - شبكات البث التليفزى -قدراته التأثيرية - المونتاج في الحذف أو الإضافة أو الاختيار بما يتفق مع أجندة المرسل .

- عناصر الإبهار - يدا يهز تأثير الإعلام الالكتروني يكل ما يحمله من انبهار

- دخول القطاع الخاص في سباق محموم لامتلاك القنوات الفضائية واحتكارا ضخمة بم بكن كثير ا في خدمة تقليل الفساد

- إالرسالة.ل من شانها التلاعب بالهوية الثقافية والذاتية الوطنية والقومية وخاصة مع صعوبة التحرير الثقافي حيث لا تزال فجوة عدم التو زان الاعلامى في مجالات المعلومات قائمة بشكل أو بأخر من الشمال إلى الجنوب .

٣- الرسالة .: تختلف تكنيكات الرسالة المستخدمة كإلية للفساد ما بين:

الخلط في وظائف الإعلام: المختلفة في الأنماط والقوالب الاتصالية المتعددة وأبرزها خلط الإعلان بالأخبار على اعتبار إن الإعلانات صارت مصدر من مصادر الدخل الاساسية للوسائل الإعلامية

مما ينتج عنه رسائل محرضة على العنف- مثيرة للتعصب والتطرف- فاسدة وسطحية -

عميل للسلطات ينفذ اوامرها ون النظر لصالح المجتمع - إالوعي.هور مأمور داخل دائرته المغلقة والضيقة.

بدلا من رسالة تشكيل الوعي يسقط في براثن خطيئة تزييف الوعي .

رسائل تعتمد على الترفيه لإغراق المتلقى في الخطاب الاعلامى المزدحم فى التسلية والترفيه وتلهيه عن همومه الخاصة

٥-الجمهور: مأزق الشعوب كبير يكمن إن قدرتها على المقاومة باتت ضعيفة وامكانياتها هشة مما يعرضها للاستقطاب الحاد ما بين التبعية الكاملة وبين الإنزال الكامل أو القهر الاختبارى

- ينصرف عن وسائل أعلامه ويقع في أحضان وسائل أخرى أجنبية بستقى منها معلوماته.

- صناعة البطل وصياغة العقل العربي من خلال رسم صورة تضمن امن النظام فان المؤسسة الثانية هي التى تضمن للنظام تأثيره في الشارع وسطوته على الراى العام بتزين صورته .

- تزييف الواقع وتناقض الثنائيات من خلال ضرورة توحيد الراى العام توحيد كاملا وراء سياساته وممارساته باعتباره محتكرا للحكمة والصواب (لحزب الواحد -التعددية الحزبية)- استعمال الحرية وتناقضانها

- تزييف الوعي وتضليل الراى العام في هذه المهمة المعاكسة للدول الغير ديمقراطية

كتاب المتلاعبون بالعقول لهيريرت شيلر يفسر- كيف والى اى مدى سقط الإعلام العري في اسر الإعلام الامريكى وعليه فعلى الرسالة الاعلامية والثقافية إن تتعامل مع الجمهور بمدخل الاتجاه التاثيرى الشامل (الوجداني - المعرفي - السلوكى).

ومن المفارقة إن الإعلام العربي قد فقد مصداقيته إمام الراى العام وفى نفس الوقت فاز باحتقار النظم الحاكمة من ناحية أخرى باعتباره أداة طيعة سلسة مأمورة تحركها السلطة متى وكيف شاءت.

٦- قياس رد الفعل ورجع الصدى :

والتي من المفترض إن تتم وفق إلى آليات ووحدات بحثية وقياسية نزيهة وشريفة ومستقلة وموضوعية يحث تقدر اهتمامات واحتياجات المواطن العربي وما يساعده على تحقيق حالة النهضة إضافة إلى إنها تقدم قراءات دقيقة ومنطقية ولكن من المرئي إن الفساد قد طال هذه الفئة أيضا من خلال الاعتماد على مراكز بحثية إما موجهة ومسيطر عليها ولأهداف وأجندات خاصة أو تفتقد إلى الدقة اللازمة لجمع المعلومات بشكل علمي واحصائى منضبط .

رابعا : سيناريوهات بديلة : الثقافة والأعلام -آليات لتقليص الفساد :

- العمل على خلق قوى حقيقية للتغير لمكافحة الفساد وبناء الإصلاح .؟

- بحث مكونات مشروع الإصلاح العربي, وماهي القوي السياسية والاجتماعية التي ستقوم علي تنفيذه, وفي أي مدي زمني؟في ظل العجز الديمقراطي! من أول ترسيخ مفهوم الديمقراطية ذاتها, وإكسابه الشرعية الدستورية والقانونية والثقافية التي يستحقها, وخصوصا بعد الخبرات المريرة إلي عانتها الشعوب في القرن العشرين, نتيجة ممارسات النظم الديكتاتورية أيا كانت صورتها. المعاونة في إقامة الدولة الحديثة الديمقراطية تحترم التعددية السياسية, وتوفر ضمانات حرية التنظيم وحرية التعبير وحرية التفكير. ولا يجوز في الدولة الحديثة أن يهيمن فيها حزب سياسي واحد علي مجمل الفضاء السياسي, ويحول بالتالي باقي الأحزاب إلي كومبارس يدورون في فلك الحزب الحاكم.

- العمل على تدعيم وصيانة أكبر وأوسع لحرية التعبير حيث تتوقف العلاقة بين كفالة حرية التعبير والأنشطة التي تقوم بها أجهزة الإعلام علي الأوضاع التي تسود أجهزة الإعلام وتنظم العمل فيها, وكذلك علي برامج الإصلاح التي تتبناها أجهزة الإعلام,حيث تلعب الشفافية والعلانية دورا مهما في طرق التعامل والاتصال بين الجماهير والسلطات التنفيذية والتي تلعب فيها أجهزة الإعلام دورا مهما, ففي غياب هذه الشفافية والعلانية يمكن أن تتفاقم الأمور وتحدث مجابهات بين السلطات التنفيذية والجماهير الشعبية وهو مايمنع أيضا الجماهير من المشاركة أو الموافقة علي مايمس حياتها من قرارات .

- التغلب على مشكلة إن معظم أجهزة الإعلام في الدول النامية تعد أجهزة تابعة مباشرة للحكومات, وتعتبر أيضا بمثابة متحدث رسمي باسمها ولذلك فهي تعبر في معظم الأوقات عن موقف الحكومات والمسئولين فحسب, وذلك من غير أن تؤدي مهمتها المباشرة في التعبير عن مصالح الجماهير وهو مايزيد من مدي التفاوت في الفهم والتجاوب بين الجماهير والمسئولين عن السلطات التنفيذية.

- تفهم إن حق الشعوب في المعرفة ليقتصر فقط علي تلقي المعلومات, وإنما يمتد حقها الطبيعي ليشمل آلية أخري تتعلق بحقها في المشاركة الايجابية في وضع الآراء, ولكن تحقيق المشاركة والتفاعل لايمكن أن يتم في ظل أجهزة إعلام تمتلكها السلطات التنفيذية, وتكون ملزمة بما يصدر إليها من تعليمات أو قرارات تحد من دورها الايجابي في التعامل مع السياسات أو القرارات الصادرة من هذه السلطات التنفيذية,

- مراعاة تجنب ما يحدث حاليا في معظم الحالات أن تغطية وسائل الإعلام المملوكة من قبل السلطات التنفيذية لما تقوم به الحكومات تقترن بالكثير من الحذف أو الاختيار أو الاستخلاص أو التضخيم أو التقليل لبعض مدلولاته أو إهمال مقصود لبعض عناصره والتي تهم الجماهير. مما يؤدي إلي أن يظهر الإعلام بصورة مصبوغة بنوع من التحيز أو التشويه أو التزييف أو التحريف وقد يأخذ الإعلام صورة متعمدة من جانب القائمين علي توصيل رسالته في اتجاه واحد, يقترن بالسيطرة والاحتكار الذي يقضي علي أي إمكانية للمشاركة.

- ضرورة إن يقوم الإعلام بدور أساسي في بناء الثقافة العامة للمواطن، الأمر الذي يستلزم تأكيد دوره في إعادة بناء القيم المساندة للتطوير والتحديث، كقيم المساواة والتسامح والقبول بالآخر وحتى الاختلاف، جنبا إلى جنب مع قيم الدقة والإتقان والالتزام وغيرها من القيم الإيجابية التي تساعد المجتمع العربي في التحول إلى مجتمع جديد فعال من خلال توجيه المجتمعات العربية نحو اكتساب ونشر وإنتاج المعرفة، و توفير المناخ المساند لمجتمع المعرفة، سياسيا وثقافيا واقتصاديا.

- العمل على ترسيخ أسس التفكير العقلاني والعلمي بتشجيع مؤسسات البحث العلمي وتوفير التمويل اللازم لها، وإطلاق حريات المجتمع المدني في تنميتها. وفي الوقت نفسه، القضاء على منابع التطرف الديني التي لا تزال رواسبها موجودة في المناهج الدراسية وخطب المساجد ووسائل الإعلام الرسمي وغير الرسمي.

- تهيئة المناخ الثقافي لتحقيق التطوير الديموقراطي وتداول السلطة سلميا، وذلك بالعمل على مواجهة الرواسب والعادات الجامدة والآثار المتراكمة لأوضاع

وأساليب سياسية فاسدة من شأنها أن تحول دون فاعلية المشاركة السياسية. وشأن هذه المواجهة تغيير النظرة السياسية والاجتماعية إلى المرآة، وتأكيد إسهامها الثقافي وإنجازها العلمي ، ودورها اللازم في عملية التنمية، انطلاقا من أن التنمية الثقافية هي أساس أي تنمية. والخطوة الأولى لأي إصلاح جذري لا يمكن نجاحها إلا بإشاعة ثقافة الديموقراطية في مناهج التعليم والإعلام.

- العمل على إلغاء أشكال الرقابة على النشاط الفكري والثقافي بما يدعم حرية الفكر، ويحرك عملية الإبداع، بعيدا عن وصاية أي جهة أو فئة باسم الدين والتقاليد أو الخصوصية أوالسياسة، أوما يطلق عليه تجاوزا اسم المصلحة العامة، فتقدم الأمم مرهون بكفالة الحرية الكاملة لمبدعيها ومفكريها في مجالات أنشطتهم المختلفة.

- توثيق الواقع الثقافي العربي في بيانات وإحصاءات سنوية، ترصد آليات الإنتاج وأشكال المتابعة، وكذلك تنسيق الجهود في تنظيم أنشطة النقابات العربية والمهنية العاملة في ميادين الثقافة، ونشر نتائجها.

- تشجيع دور النجية على مشاكلها مطالبة أكثر من ألان على تخطى المأزق الطارىء فإننا نتصور إن دورها هو استجلاء الحاضر واستشراف المستقيل.

- إطلاق حرية الصحف لكل القوى السياسية والاجتماعية بلا تفرقة.

- اطلاق حرية تداول المعلومات بإلغاء القوانين التى تحجب المعلومات.

- إلغاء كافة إشكال الرقابة على النشر

- تمكين التيارات الفكرية والسياسية كافة من ممارسة حرية التعبير عن نقسها .

- إلغاء جميع القوانين المقيدة للحريات في التعبير

- إصلاح السياسات العامة المبنية على علاقات الخلل القائمة مثل علاقة تبعية الإعلام للسلطة الحاكمة ومثل عدم التوزان ممثل علاقة تبعية الإعلام للسلطة الحاكمة ومثل عدم التوزان في التدفق الاعلامى والمعلوماتى المقصور حاليا

على التدفق من اعلى إلى أسفل فقط من القمة الحاكمة إلى القاعدة المحكومة ومثل علاقة الهيمنة الخارجية على الأمور الداخلية وفى مقدمتها الأمور السايسية والاقتصادية والثقافية التى يبدو التأثير الخارجي عليها أقوى من تأثير المحركات الداخلية .

- مواجهة مطالبة الإعلام بتدعيم الحرية ينبغى الالتزام بالمسئولية المجتمعية وتقديم كل ما هو حقيقي وصادق وكامل فالحرية لبست مطلقة والمسئولين ليست مقيدة على إطلاقها.

- الأيمان والعمل على مبدأ إن الخطاب الاعلامى والثقافي لابس تطيع وحده إن يقدم ثقافة حقوق الإنسان بل يحتاج إلى منظومة كاملة مضادة للفساد تبدأ من الأسرة والمدرسة والجامعة ثم الحزب السياسي ومنظمات المجتمع المدني الشعبية المستقلة في بناء ثقافة حقوق الإنسان.

إن الدراسات المعاصرة تحث علي وضع خطة ثقافية و إعلامية عربية لمواجهة هذه الظاهرة, موضحة إن المواجهة لابد إن تستند علي خطة تتعلق بالطرق والوسائل الكفيلة للتقليل من طوفان الفساد الاعلامى والثقافي المادة الإعلامية الأجنبية, في التليفزيون العربي, ومحاولة منع ظاهرة البرامج غيرا لواقعية التي لا ترتبط بقيم المجتمع وثقافته, مع أهمية تحصين الشباب سياسيا واجتماعيا وثقافيا وتربويا, وتعميق وعيه بمضامين الغزو وسلبياته, وتطوير وسائل إعلامه الوطنية ومضامينه, وإعطاء الشباب الفرصة للتعبير عن آرائهم وأفكارهم وتطلعاتهم, في وسائل الإعلام, وإشراكهم في صنع القرار الإعلامي, ومشاركتهم في إنتاج برامجهم صناعة وكتابة وتنفيذا.

وعليه عند السعي إلى محاولة وضع سيناريوهات لتفعيل دور الإعلام والثقافة الحقيقي في بناء ونهضة الأمم في إن يكون الروح الدافعة في هذه النهضة بحيث تصيح مواد إصلاح وليس مواد هدم وتخريب وإفساد ينبغي الوقوف بوضعية صادقة مع ضرورة توفير مناخ وبيئة حاضنة للإصلاح وليس الفساد يدعمها ويساندها إيمان النخبة بدورهم الطليعي وكذلك وجود مؤسسات نظيفة وقوية لمؤسسات المجتمع

المدني العربي تساعد على حماية الإعلام والثقافة والقضاء على كافة إشكال الرقابة والقهر والاستبداد الانسانى واستغلال النفوذ والآخرين من اجل بناء الأجندات الخاصة .

ومن الاهمية بحث استراتيجيات الاتباط القوية ما بين مفهومى النظم السياسية والنظم الاعلامية المصاحبة لها ، مع النظر بعين الاعتبار الى العلاقة الثنائية التى تشبه علاقة " العسل والنحل " على اعتبار ضرورة التعاون والاعتمادية التاثيرية فيما بين المفهومين ، فلقد حظيت استراتيجيات الارتباط ما بين السياسة والاعلام ببعض من البحث فى مجال الاتصال السياسى من قبل ، ولكن من الضرورى ان يتركز اهتمام الباحثين وواضعى السياسة فى الفترة الحالية على بحث التطورات السريعة التى طرأت على مفدرات الخريطة العالمية والتى من شانها ان تؤثر سلبا او ايجابا على طرفي هذه المعادلة ايضا ما بين السياسة والاعلام .

وفى مقدمتها الثورة التكنولوجية والاتصالية الواسعة التى جعلت علاقة الاعتمادية هذه اكثر وضوحا وقوة بالاضافة الى ملامح القطبية الاحادية التى تتشكل فى عالم السياسة الدولية ، وتصبغ الاجندة العالمية برؤياها وقرارتها السياسية ، بل والاخطر انها صارت اكثر التصاقا بمحاولات صنع الاجندة الداخلية ايضا للدول والشعوب التى تدنيها فى منظومة القوى الدولية وخاصة منطقة الشرق الاوسط والمنطقة العربية .وهو الامر الذى من شأنه ان يشجع باحثو الاتصال والاعلام السياسى فى هذه الدول الى تكثيف بحث هذه العلاقة الثنائية ودراسة مدى تأثيرها من حيث تقليل سلبياتها وتعظيم ايجابياته بشكل افضل وصولا الى الاستفادة المثلى منها لصالح المواطن العربى من جل مزيد من التنوير والادراك السياسى لفهم اكبر سواء على مستوى الداخل السياسى او على مستوى ملامح الخريطة السياسية الخارجية .

وهو الامر الذى يلقى بمسئولية كبيرة على كل من صانعى القرار سواء على الشئون السياسية او الاتصالية من اجل الاسهام سويا لصالح هذا المواطن الذى يحتاج

الى رسائل اعلام سياسى موضوعية وصادقة تبتعد عن المذهبية والتحزبات ويكون صالح المواطن والمجتمع هو هدفها الاول والاخير.
الاعلام والسياسة وجهان لعملة واحدة لابنفصلان المهم ان يتفقان على ان نقطة الاهتمام هى الانسان والمواطن العربي نحتاج الى صفقة مصالحة حقيقية ما بين الانظمة العربية والشعوب العربية كل يعرف حقوقه وواجياته ويصبح الاعلام العربى هوالجسر بينهما جسر عماده الحرية والكرامة الانسانية ايسط حقوق الانسان والإعلام والمشاركة السياسية وسيناريوهات الإصلاح .

ثمة شبه اتفاق أن مصر تمر الآن بمنعطف تاريخى نشأ من تراكمات حراك سياسى واجتماعى وثقافى ومعه تتولد الحاجة المتزايدة إلى ضبط إيقاع هذا الحراك فى الاتجاه الايجابى الدافع والناهض بالأمة فى تعاطى مفردات عملية إصلاحية شاملة ومؤثرة ربما من أهم عناصرها تفعيل حقيقى للمشاركة الجماهيرية فى كافة صورها فى وقت تؤكد فيه الدراسات أن سلبية وضع مشاركة المجتمع على الساحة المصرية مؤكدة أنه يعيش مشكلة حقيقية تتفاقم مع مرور الأيام متمثلة فى سلبيته الدائمة والانا مالية التى يعيشها وعدم اهتمامه بالمشاركة بالرغم من توافر الوعى بذلك ، وربما كل ذلك جاء محصلة طبيعية للعديد من المشكلات التى تعترض طريقه بدء من الخلل الاقتصادى والسياسى والاجتماعى والدينى وانتهاء بمشكلات التطرف وتفكك السلم القيم مما يجعل المجتمع وفئة الشباب بشكل خاص يحاول البحث عن حلول فردية الأمر الذى يولد مشكلات الانفصال عن المجموع العام ووجود نوع من اللامبالاة السياسية بين الأفراد داخل المجتمع المصرى .

وعلى ذلك تأتى الأهمية المتزايدة لوسائل الأعلام لاكتساب المعلومات وتشكيل الفكر السياسى تأكيدا" على الدور الذى تلعبه وسائل الأعلام الجماهيرية فى التأثير على السلوك السياسى للجماهير وأيضا أفضل الطرق لتحقيق هذا التأثير من خلال ما يسمى بالأعلام السياسى فى علوم الاتصال الجماهيرى المختلفة ، ودوره فى تدعيم المفاهيم السياسية والسلوكيات والأنشطة السياسية لدى أفراد المجتمع ومن

بينها أنشطة المشاركة السياسية لما لها من فائدة على الأفراد والسياسة العامة للدولة ـ فعلى مستوى الأفراد : تنمى فيه الشعور بالكرامة والأهمية السياسية وتنبه إلى ولجباته ومسئوليته ، وعلى مستوى السياسة العامة : تصبح أأكثر استجابة بمطالب المواطن كذلك تتضح أهمية تدعيم دور المشاركة الجماهيرية فى صنع الحاضر وصياغة المستقبل والتى تمثل شرطا للتنمية الشاملة فالتنمية الشاملة تمثل المساواة الاقتصادية والاجتماعية وسببا من أسباب الاستقرار السياسى .ومن هنا فان الأبحاث تؤكد العلاقة الايجابية بين المشاركة السياسية وعملية التحديث الاقتصادى والاجتماعى والتنمية ككل .

وترجع أهمية وظيفة الإعلام إلى إنها تجعل الفرد أكثر فهما للظروف المحيطة به ، والوصول إلى وضع يمكنه من اتخاذ القرارات السليمة ، كما أن المعلومات التى تقدمها وسائل الأعلام تتيح للإفراد الانفتاح على تجارب المجتمعات الأخرى وتزيد حصيلة معارفهم وبالتالى تجعلهم أكثر قابلية للتغيير

و قد تكون المشاركة ايجابية ، تتمثل فى مظاهر متعددة كعضوية الأحزاب والاشتراك فى الندوات والتصويت فى الانتخابات وغيرها ، كما إنها تتوقف عند حد إيهام ألذات بالمشاركة .

وهنا يبرز دور الأعلام فى التأكيد على هذه الأهمية ودوره فى غرس ما يسمى بثقافة المشاركة والتى تعد من أهم سمات المجتمعات المتقدمة ، حيث يشعر الفرد بذاته ودوره ، وأهميته ، ويؤمن بقيمة اشتراكه مع الآخرين فى سبيل خدمة المجتمع والصور المختلفة ، وعلى الجانب الأخر ، يقوم الأعلام بالعمل على تلافى ما يشجع لقيام ثقافة تتعارض مع المشاركة وتخلق لدى الفرد أحساسا بالأنانية والسلبية واللامبالاة وعدم إحساسه بمسئولية دوره فى خدمة المجتمع .

ومن هذا المنطلق واقتناعا" بأن عمليه المشاركة هى عماد أية عملية تنموية وبصفة خاصة المشاركة السياسية يصبح التساؤل الهام : كيف يمكن أن يساهم النظام الاعلامى فى توسيع نطاق المشاركة السياسية بمجالاتها المختلفة ؟؟ .

بداية يجب التأكيد على التلاحم والتكامل بين أنظمة الدولة المختلفة بجميع مؤسساتها وان يوجد دور ملموس لكل من هذه الأنظمة التى تساهم فى تحقيق الصورة النهائية المرغوبة بزيادة وتوسيع حجم المشاركة السياسية فعلى الاسره دور كبير فى عملية التنشئة السياسية الصحيحة للأبناء وغرس القيم والمعارف الثقافة السياسية الصحيحة دونما إيه تشويه .و إشراك الأبناء فى أمور الأسرة كمرحله تمهيدية لعملية المشاركة الفعلية فى المجتمع بعد ذلك .

إما فيما يتعلق بالدور الاعلامى من اجل توسيع حجم المشاركة السياسية ، فأهم ما يجب عمله فى هذا الصدد ، هو رفع الوصاية عن الجمهور بعد تقديم كل ما يلزمه من معلومات وحقائق صحيحة وأراء غير مستهدفة ، وتترك للمشاهد المتلقى حرية الوصول إلى مايفضلة ويراه مناسبا له .

و من الاهميه بمكان عند التعامل مع المضمون السياسى الاعلامى، أن يراعى القائم بالاتصال ما يسمى البنائين المعرفى والدافعى : ففيما يخص البناء المعرفى ، على القائم بالاتصال أن يسعى لتغيير هذا البناء القديم وتشكيل بناء أخر للمعرفة يهيىء الفرد لقبول المساهمة فى عملية المشاركة السياسية .

إما بالنسبة للبناء الدافعى : على وسائل الإعلام أن تسعى من اجل تحقيق التوازن مع أهدافها فى إبراز العلاقة بين سلوك المشاركة وبين الأهداف التى قد تتحقق عندما يسلك المرء هذا السلوك بمعنى أن تقوم بتشجيع الأفراد ودفعهم إلى اتخاذ هذا السلوك ,ومن خلال سيطرة البنائين المعرفى والدافعى السيطرة التامة داخل الفرد يحدث السلوك المرغوب وهو سلوك المشاركة السياسية .لذلك يستلزم دراسة نماذج استراتيجيات واضحة ومحدده تتعامل مع هذا الأبنية داخل الفرد بغرض تحقيق وتنمية سلوك المشاركة .

ثم العمل على دراسة نماذج التسويق السياسى دراسة جيدة وانتقاء ما يتناسب وطبيعة المجتمع المصرى منها ليطبق فى الحملات الانتخابية والدعائية ومن هنا تأتى أهمية البحوث الميدانية لكل من الناخبين والمرشحين والمنافسين لهم

.مع تدريب الكوادر الإعلامية تدريب جيد على استراتيجيات حملات الرأى العام وأساليب التأثير فى البناء المعرفى والدافعى والسلوكى .

وكذلك إفساح المجال للأحزاب المعارضة فى الظهور على شاشة التليفزيون مما يولد نوعا من الثقة فى الجهاز والنظام ويؤدى إلى توسيع حجم المشاركة السياسية والسعى لجعل المواطن المنعزل مواطنا مشاركا سياسيا واجتماعيا واقتصاديا و حث المواطن على المشاركة بشكل مدروس ومخطط وفى قالب شيق ، كما تتجلى أهمية إعداد برامج سياسية خاصة بجمهور الفئات فى مقدمتهم الشباب تتناول المعارف السياسية العامة ومعطيات الثقافة السياسية وكيفية المشاركة السياسية .فى قوالب خفيفة تتماشى مع خصائص وطبيعة جمهور الشباب .

وهنا تأتى الرؤية الصحيحة فى تعامل الأعلام مع قضايا وموضوعات المشاركة الداعية إلى دفع مسيرة الإصلاح فى مراعاة خطاب اعلامى متوازن ما بين الأسلوب المباشر وغير المباشر يركز على الالتصاق بهموم وتطلعات المواطن البسيط من خلال خطاب يشجع بنائه الوجدانى والمعرفى ولكنه أيضا يدفعه إلى تكوين بناء سلوكى ابجايى يدفعه للقيام بصور ومظاهر المشاركة السياسية ولا يولد لديه حالة من التنافر المعرفى والوجدانى والانسانى والذى ربما يصبح علامة فارقة فى تحوله إلى مزيد من السلبية .

وهو الأمر الذى يلقى بمسئولية كبيرة على كل من صانعى القرار سواء على الشئون السياسية أو الإعلامية من اجل الإسهام سويا لصالح هذا المواطن الذى يحتاج إلى رسائل إعلام سياسى موضوعية وصادقة تبتعد عن المذهبية والتحزبات ويكون صالح المواطن والمجتمع هو هدفها الاول والأخير والذى عليه هو الأخر مسئولية تعاطى هذه الفرصة الحقيقية للتغيير بوعى وحكمة وقدرة على قراءة دلالات الأمور.

هل هناك علاقة بين سلطة الدولة .. وديمقراطية الاعلام ؟

- يرى الكثيرون ان الدولة لاتقوى ويكتمل سلطانها وتبرز هيبتها وتعرض قانونها ونظامها الا عبر اعلام ضعيف وتابع ومهادن منفذ للأوامر والتعليمات والتوجيهات التى تصدر اليه من فوق ..

ان أصحاب دعوى التناقض بين قوة الدولة وقوة الاعلام وحريته يدعون ان ما حدث فى الجزائر خلال ربيع الديمقراطية هو خير شاهد فقد انطلقت القوى والأحزاب السياسية بدون حدود حتى وصلت الى ما فوق الثمانين حزبا وتعددت الصحف والمجلات بلا قيود وتحررت الإذاعات ومحطات التليفزيون من أسر البيروقراطية الحكومية المسيطرة .

قد اصبح التوافق والتناسق بين قوة الدولة وديمقراطيتها وبين قوة الاعلام وديمقراطيته وحريته امرا حتميا وذلك ان الحرية هى جزء لا تتجزأ مع الديمقراطية ولا يتناقض ولكنها تتكامل من خلال مؤسسات المجتمع المدى المتعدده ومن خلال الدولة كلها سواء كانت مؤسسات دستورية وحكومية أو كانت مؤسسات رقابية أو كانت مؤسسات تشريعية وصحفية واعلامية فهذا هو.

الامر الذى يخلق ديناميكية متكاملة للعملية الديمقراطية الكاملة ومن يعمق مفهوم الحرية فى الأوساط الشعبية والحكومية على الوزاء ويحدد خطوطا واضحة تفصل بين المسئوليات مسئولية الدولة ومسئولية الحكومة فى الدولة ومسئولية المجتمع ومسئولية الصحافة والاعلام فى المجتمع والدولة على السواء .

والسؤال الان هو .. هل يتلائم الاعلام بقيوده الرسمية الحالية مع المناخ الدولى بما يجعل به من حرية وانطلاق وتدفق وهل يلتقى هذا الاعلام بكل ما يقدمه مع طموح ورغبات الرأى العام المحلى والقومى بل هل يتسم وضعه وانتاجه الراهن مع السياسات الاقتصادية التى تطبعها معظم الحكومات العربية الان تحت رايه اتجاهات السوق الحرة وحرية المنافسة والاندماج فى الاقتصاد الدولى والعولمه وتحرير النشاط الاقتصادى والتجارى

ان الإجابة على هذا التساؤل ليست فى مصلحه الاعلام الرسمى كمفهوم بفارق مع انطلاقه الحرية فى القول والمجاهرة بالراى وتدفق المعلومات وانسياب الافكار

التى تسوء معظم أرجاء العالم بما فى ذلك الدول ذات الماشى الشمولى الغريب مثل روسيا او دول أوروبا الشرقية او حتى بعض الدول الأفريقية التى كانت توصف بأنها مجاهل بدايته .

وهو كذلك بوضعه البيروقراطي المقيد يتناقض تناقضا واضحا مع دعوة هذه الحكومات ذاتها التى ثبتها عبر هذا الاعلام نفسه مطالبا بحرية النشاط الاقتصادى وتحرير التجارة والانفتاح على العالم طبقا لمبادىء العولمة الاقتصادى ولما يعلم الجميع لا ينفصل فى مركبه عن الحركة السياسية والاعلامية والثقافية

ما هى مهام الخطاب الإعلامي والرسالة الاعلامية الداعمة للديمقراطية ؟

١- مهمة الاخبار والابلاغ ... اى تعريف المتلقى او القارىء او المستمع او المشاهد او المتابع بالتطورات الجارية ومدة بالمعلومات الموثقة الكاملة والصادقة عن حدث او تطور أو واقعة بحيث يستطيع ان يقتنع اولا ثم ان يحدد موقفه ورأيه ثانيا ثم يتصرف وفق هذا كله وتجربة ذاتيه ثالثا .

٢- ملحمه التثقيف والتنوير اى الارتقاء بعقل المتلقى والسمو بروحه ووجدانه وتنويره بالتطورات الجارية فى الثقافة الوطنيه والانفتاح على التفاحات العالمية الاخرى بدرجه فعلى من قدرته على الارتقاء الفكرى والنضوج المعرفى الذى يساعده على الفهم والوعى والقدرة على الحكم على ما يدور حوله وعلى تحديد دوره واختباراته

٣- مهمه الترفيهه والتسلية وهى تحتل فى الاعلام المعاصر مكانه مميزة وتهدف للترويج من النفس وازاله المتاعب اليومية ورسم الابتسامة . . ونلاحظ هنا عدة مرتكزات : -

اولا : تعتبر حقوق الانسان مكونا رئيسيا لهذه المهام الثلاث للخطاب الاعلام او الرسالة الاعلامية ذلك ان من حق الإنسان ان يتلقى الاخبار والمعلومات الصادقة الكاملة وتبدا ولها حرية ومن حقه الوصول الى المصادر الرئيسية للثقافة والتزور بانتاجها ومن حقه الاستمتاع والترفيه والترويج عن نفسه بالوسائل التى تحقق له الجانب المبتسم والمريح من حياته

ثانيا : ان التعدى على هذه الحقوق او الانتقاص منها او تشويه بعضها يعد انتهاكا مباشرة وصريحا بشرعه حقوق الانسان ذات الصيغة العالمية للدساتير والقوانين الوطنية التى كلف له هذه الحقوق وتلك الحريات .

ثالثا : ان تعاظم دور الدولة وسلطه الحكومة فى العصر الحديث ادى ضمن ما أدى اليه الى أهميتها بشكل كامل او جزئي على معظم وسائل الاعلام ومن ثم التحكم فى الخطاب الاعلامى وتوجيهه وفق سياساتها ورؤاها بما يحقق مصالحها وأهدافها وبالتالى قدرتها على صياغة المهمام الثالث للخطاب الاعلامى وفق ما تراه واخضاع الصحفيين والاعلاميين للعمل فى ظل هذه الصياغه سواء اقتنعوا او لم يقتنعوا .

ما هو دور النخبة والقائم يالاتصال فى تعزيز الديمقراطية ؟

كثيرا ما طفا على السطح قضية المثقفين والسلطة فى مصر وتعرضت العرقة الى ما سمى بازمة المثقفين خول دورهم واين المثقفون ولماذا فشلوا فى اداء دورهم الطليعى المفترض الى جاني القيادات الثورية

وترددت عبارات مثل اشكالية اهل الثقة ام اهل الخبرة ؟؟!!!

وواحدة من اهم قضايا الممارسة الديمقراطية هى علاقة المثقفين وعلاقتهم بالسلطة الحاكمة وحقوقهم فى المشاركة ، وجوهر الازمة لدى البعض فى المثقفين فى حد ذاتهم والذين قد اتيت لهم الديمقراطية التى لطالما نادوا بها اذ بهم وقد تعثروا فى ممارستها .

والواقع ان تلك المشكلة او تلك الازمة - ترتبط مباشرة بجوهر التطور الراهن للنظام السياسى المصرى فهناك محن شددت الانتباه اكثر من عيرها الى ذلك البعد الحديد الخطير لازمة المثقفين كالجامعات واخفاق المثقفين فى حالات عديدة فى بناء الديمقراطية فالتناقض بين الاقوال والافعال والتمسك بالشكل على حساب المضمون والاحترام الظاهرى للقواعد والاجراءات مع الانتهاك الفعلى لروح الديمقراطية .

وتعددت بعض المشكلات مثل الحرمان الذى عانت منه اجيال من المثقفين من المشاركة فى الحياة العامة والعمل السياسى وهو الحرمان الذى فجر بعد تعشطا شديدا للمشاركة فى القيادة وتولى المناصب العامة واثبات الذات . . وظهرت بعض محن الفكر الليبرالى فى الحياة الثقافية المصرية مقارنة بالفكر البسارى او الاسلامى ومقارنا بالافكار الاوسطية التوفيقية السائدة على الصعيد السياسيى بمسمياتها المتعددة .

والثقافة السياسية الموروثة والتى تناقلتها اجيالهم سواء فى الاربـاف او المدن وهى ثقافة لاتعرف القيم الحقيقية للديمقراطية بقدر ما تعرف السلطة الابوية وغياب المشاركة والضبق بالمعارضة انه ثقافة ترى لحرية التفكير وحرية التعبير حدودا وقيودا صارمة تتقبلها بطيب خاطر باسم التقاليد ووسائل الاعلام والدين تنقل من خلال ادوات الاعلام والثاقفة والتعليم وتكبت لدبهم العقلية النقدية المنفتحة .

هل الإعلام الحر طريق الحقيقة ؟!!

- الوسائل الإعلامية المستقلة والشفافة ضرورية لحياة أى مجتمع معاصر. إذ للوسائل الإعلامية دور حساس تلعبه كعنصر- أساسي في المجتمع المدني. تكون هذه الوسائل، في المجتمعات الديموقراطية، حرة ولا تسيطر عليها الدولة. وهذا يسمح بظهور آراء وأفكار ووجهات نظر متعددة يجري نشرها في ساحة الأفكار. إن أفضل حماية ضد الأفكار التي تنشرها وسائل الإعلام ولا يوافق عليها بعض الناس هو نشر أكبر عدد من وجهات النظر بحرية، بدلا من مراقبة أو إسكات الأصوات الإعلامية.

- ويجب أن تضطلع وسائل الإعلام المستقلة، في الوقت نفسه، بمسؤولياتها الكبيرة بكل جدارة مثلها في ذلك مثل ما على الحكومات والمواطنين من مسؤوليات. فعليها دعم وتقوية المعايير المهنية، والتشديد على تقارير تكون موثقة ومستندة إلى حقائق صادقة الحدوث. وعليها التثقيف العام وليس فقط الدعوة للقضايا المختلفة والتعبئة حولها بشكل عاطفي انفعالي. إن أفضل اختبار للحقيقة هو قدرة الفكر في أن يصبح مقبولا لدى تنافسه في سوق الآراء. ومن أجل أن يوصف أي مجتمع بأنه

حقا مجتمعا ديمقراطيا ، عليه أن يؤمن درجة عالية من الحماية للتعبير عن الفكر المنشور، إما بواسطة الصحف، أو المجلات، أو الكتب، أو الكراسات، أو الأفلام السينمائية، أو التلفزيون، أو ما هو أكثر حداثة، الإنترنت.

- فالإعلام الحر، حتى ذلك الذي يتجاوز أحيانا حدود الذوق السليم، هو ركنا أساسيا جدا للمحافظة على الديمقراطية. وهو الضامن الأفضل للحرية لما يحققه من كسب فوائد الانتقاد المستمر، الذي يستطيع أن يلقى الضوء على نشاطات المجتمع خاصة الحكومية منها. ولعل أفضل طريقة لتقييم الدور المعقد والمتغير لمفهوم وسائل الإعلام الحرة لا تأتى إلا بواسطة دراسة مثال للتطور المتدرج لتاريخ هذا المفهوم في بنية سياسية، اجتماعية، ثقافية معينة.

مداخل إجرائية:

ما مظاهر عدم الديمقراطية في مجالات الثقافة والاعلام؟

ويظهر ذلك عند الارتباط بخدمة أفراد أو نظم أو سلطة عبنها بغض النظر عن النفع العام الذي يجب إن تؤديه من اجل دعم المسارات التنموية والنهضوية في المجتمع وتبرز في هذه الفئة مظاهر مثل : استخدام النفوذ في الثقافة والأعلام لتحقيق مأرب خاصة -سيطرة أشخاص أو أحزاب حاكمة على دعائية الانتخابات مما يعرقل حرية تداول السلطة عن طريق انتخابات نزيهة نظيفة - التستر على نماذج وقيم فاسدة

كيف نقيس الديمقراطية اواللاديمقراطية ثقافيا واعلاميا ؟

- في ظل مناخ فاسد نصطدم بعشرات من النصوص المكبلة بالحريات العامة والديموغرافية بشكل عام والمقيدة بحرية الراى والتعبير وتداول المعلومات مما انعكس على كفاءة الإعلام في أداء الرسالة في ظل مناخ من التقييد والاختراق والتدمير

- عقوبات السجن والحبس والغرامة تطال كل من يجرؤ على مواجهة حرية الراى أو القبول بهامش مصطنع من الحرية ولا يهتمون إلا من الخارج ولكنهم لابخشون إلف نقد بتداوله العامة في الداخل والخرج لان الخارج مجرد فضيحة وتشهير والداخل محكوم بقوة.

- ملكية الوسيلة حكومية او خاصة تخدم فئة محددة بشكل متعمد .

-الارتباط الوثيق القائم بين سيطرة الاقتصاد الغربي وقدرته على تجاوز الحدود الوطنية، وبين الاختراق المتواصل لبنية الثقافات المحلية في العالم الثالث، والذين يتباهون بتعبير (القرية الكونية) كإنجاز لتسارع الاتصال والتواصل بين الشعوب، سيدركون عاجلا أنهم قد أسهموا عمليا في تدمير قرى العالم الآخر، وتشويه خصوصيتها التاريخية، وإلغاء شخصيتها وموروثها وثقافتها.

نموذج تطبيقى لدور الاعلام و تدعيم الديمقراطية ؟

تصنف وسائل الاعلام الجماهيرية باعتبارها المؤسسات الاكثر فاعلية فى مجال التاثير على الجماهير فى المجتمعات خاصة المتقدمة منها ، فليس هناك اكثر من الراديو و التليفزيون و الصحف نفاذا و انتشارا بين الناس فى مختلف المجتمعات.

الحكومات و الانظمة الشمولية تعى بقوة اهمية الاعلام لذا لا تدع فرصة للسيطرة و احكام القبضة و الرقابة عليها حتى تحافظ على وجودها و هو على النقيض فى المجتمعات الديمقراطية حيث تعمل المؤساسات الاعلامية بعيدا عن يد الحكومة فهى تنقل من و الى المجتمع ما يهمه و تلعب دور الحارس و الرقيب على النظام و مؤساساته الفاعلة، فهى تعد السلطة الرابعة فى المجتمع.ومع ما تمثله وسائل الاعلام من قوة مؤثرة يمكن ان تلعب دوا كبيرا فى تحقيق الكثير من الاهداف المجتمعية و على راسها التعليم و التثقيف و غرس القيم و المبادى و من هذه القيم ثقافة الديمقراطية ..

مراحل المشروع :

المرحلة	وصف المشروع
المرحلة التهيئية	الاعلان فيها .. يمكن ان يكون وسيلة فعالة لنشر الديمقراطية ، حيث يتم اعداد رسائل اعلانية تحث على تبى المفاهيم الديمقراطية و مكتسباتها و المزايا التى تعود على المواطن فى حياة اليومية .. مدة الرسالة ٣٠ ثانية فى حالة الوسيلة التليفزيونية والاذاعية .
المرحلة التمهيدية	:برنامج تليفزيونى .. يتم اعداد برنامج اسبوعى يستهدف شريحة هامة فى المجتمع الا و هى الاسرة التى يعول عليها كثيرا فىههذ المرحلة باعتبارها الحقل الذى يتم فيه تربية الاجيال الجديدة المستهدفة فعليا من الحملة الاعلامية . وتم خلال البرنامج التركيز على غرس مبادى الديمقراطية و مفاهيمها و الية عملها فى المجتمع على مختلف الاصعدة .. و تستخدم الوسائل الاقناعية و الترغيبية فى تحفيز الجماهير بعرض مزايا النظم الديمقراطية و الفوائد الشخصية التى سيجنيها الجمهور من تبنى هذه السياسات . و يمكن ان يتم اعداد حملة اعلانية مماثلة فى الراديو نظرا لمزاياه الجماهيرية الكبيرة فضلا عن امتيازه عن التليفزيون بقلة التكلفة الانتاج له كذلك ان عملية الانتاج اقل تعقيدا من مثيلتها فى التليفزيون . كما يمكن الاستعانة بالقوة التاثيرية التى تمتاز بها الصحف ايضا بنشر ملاحق ضمن الصحف الاكثر انتشارا ، يمكن من خلالها عرض حقوق الفرد فى المجتمع الديمقراطى و كذلك واجباته ، و مقارنة النظم الديمقراطية بمثيلاتها الشمولية و ابراز الفوائد المجتماعية و الانسانية من الديمقراطية .

٣- المرحلة المتقدمة	و تعد الاكثر اهمية ، فبعد نشر المفاهيم و الاسس التى تقوم عليها الديمقراطية و مقارنتها بالنظم الاخرى تاتى مرحلة التدريب على ممارسة الديمقراطية بشكل عملى وواقعى ..و تحتاج هذه المرحلة لجهد كبير و دراسات نفسية و اجتماعية لتحديد اكثر السبل الاقناعية و العملية التى تدفع الجمهور الى الممارسة الفعلية لما قد سبق و قد اقتنع بتبنيه من مفاهيم و اسس الديمقراطية .. و البداية الاكثر فاعلية هو تحويل الديمقراطية الى جزء طبيعى فى حياة العامة يمارسونها فى البيت و المدرسة و العمل بل فى الجامع و الكنيسة و النادى .. باختصار تحويلها الى نمط للحياة ، ثم تاتى مرحلة ربط الديمقراطية بالحقوق السياسية و الاقتصادية و الاجتماعية و الانسانية للفرد و التكيد ان تحقيق الديمقراطية لا يتاتى الا بالممارسة الفعلية فى جميع الانشطة الحياتية ،

نمـــاذج : ..

نموذج لبرنامج تليفزيونى حول تدعيم
مفهوم الديمقراطية فى مصر

(برنامـج الجـسـر)

حلقة " صورة النموذج الديمقراطى المصرى

الزمن ٥٠ ق

القالب : تحقيق وثائقى + لقاءات تسجيلية خارجية

مذيع / استوديو :

الحضور الكريم ، اليكم التحية لنبدأ بعدها بناء جسر جديد نحو صورة عربية واسلامية صحيحة .

لم تتغير فلسفة الجسر منذ بدانا واليوم ونحن نستهل العام الثالث للبرنـامج ، نعم الجمهور المستهدف هو الغرب الـذى ينبغـى تصحيح الصورة امامـه ولكـن نضيف عليها ان الصورة من الداخل ينبغى ان تكون جيـدة قبـل التصـدير ، كـل عام وانت فى صورة صحيحة داخليا وخارجيا .

بسم اللـه نبدأ ، جسر اليوم شائك جدا وهو عن صورة الديمقراطيـة المصريـة الصحيحة التى ينبغى ان يعرفها عنا الغرب ، بالتاكيد لسان حـال الكثـيرين يقـول مالكم ومـال الـداخل ، نعـود نقـول ان الـداخل والخـارج شىء واحـد لانسـتطيع الفصل بينهما ، وظهر ذلك بوضـوح ونحـن نرتـب الاوراق السـاخنة للديمقراطيـة المصرية .

نموذج شديد الخصوصية شديد التعقيد شديد الحيوية وربما شديد التنـاقض ، ابعاده متنوعة وملفاته كثيرة ما بين ملف القـانون والدسـتور ومـنظمات حقـوق انسان والمجتمع المدنى و وضعية المراة ، الساحة الدينية المصرية ما بين حركات

الاخوان المسلمين والعلاقة بين الاقباط والمسلمين فى الشارع المصرى ، التحرر الاقتصادى واليات السوق جدوى الاعلام والثقافة فى بناء هذه الديمقراطية ، تقييم النموذج فى الميزان الدولى وملف اخر ارهقنا بشدة وهو العلاقة ما بين الاحزاب فى الساحة السياسة المصرية ، ما بين الحزب الوطنى الحزب الحاكم واحزاب المعارضة الاخرى فى تفعيل الحوار الوطنى ، والاهم من كل هذا وذاك الشارع المصرى والمواطن كيف يرى نموذجه الديمقراطى ، هل هو على وفاق معه ام ان الامر يحمل علامات الاستفهام ؟

نموذج متعدد الاوراق ربما يكتسب تميزه من تميز مصر على الساحة فى حد ذاتها .

قدمنا نماذج كثيرة عن الديمقراطية العربية ولكننا عند النموذج المصرى وقفنا وبصراحة ترددنا هل نعرض الايجابيات وصورة جميلة مشرقة وكله تمام يافندم وهنا سنتهم باننا نغازل النظام وان احنا من اتباع السلطة والا نعرض سلبيات فقط تندد تشجب وتنفى وجود اثر للديقراطية وهنا سنعاقب من قبل ضمير الباحث الذى يحركنا لاننا جلدنا المخطىء ولم نكافىء المخلص ، واشكالية ثالثة : هل الخطاب الداخلى يتفق مع الخطاب الخارجى.

وساعدتنا مصر حكمنا ضمائرنا واعتمدنا على خصوصية النموذج من خصوصية مصر وقررنا نحن وكل من ساعدنا فى بناء النموذج ان نعرضه كما هو دون اى تزييف او تصفيق ونترك الحكم للمنصفين ، ومن المرات النادرة فى الاعلام الدولى يتفق الخطاب الداخلى مع الخطاب الخارجى لاننا نقول الحق والحق احق ان يتبع .

ايها الرفاق ، استعدو لرحلة شائكة وان كان ابرز مافيها اجماع على بعدين اولهما انها حالة من التطور والتحول الديمقراطى رغم عراقل التطور الطبيعية والثانية ان الجميع يتفقون لاديمقراطية مستوردة ، ما احناش عاوزين عمرو .

اتبعنا فى هذا الاطار البرامجى قالب التحقيق التليفزيونى وقسمنا النموذج الى اوراق وذهبنا الى المتخصصين من جميع فئات الشعب المصرى والعربى وايضا الخبراء الغربيين من امريكا واوروبا كلهم ساهموا معنا فى رسم النموذج .

قبل الدخول فى تفاصيل هذه المعمعة : دعونى ادعوكم للتعرف على المصطلح الذى حير باحثو السياسة منذ الالاف السنوات ، الديمقراطية ، ما هى الديمقراطية ومن هم الديمقراطيون وما النموذج الامثل للديمقراطية على اية حال نبدا .

تقرير الديمقراطية **vtr**

ول قلنا ان مصر عظيمة ايوه ايوه كبيرة ايوه رائدة لكن هناك اوضاع اخيرة قد تخلط بين الاوراق وان بقيت الحقائق التى تعكس النموذج المصرى ، ورغم تشابك هذه الاوضاع الا ان الرؤية الموضوعية ترى انها ليست مبررا ابدا لنظرية نصف الكوب حينما يرسم الغرب صورة النموذج المصرى ، مركزا فقط على السلبيات متجاهلا الايجابيات ويتهمونا باشياء مثل المركزية والحريات السلبية الى اخره .عموما ولانى كما اتفقت معكم منذ البداية اننا فقط جسر للاصوات المختلفة والعبرة بالتقييم الموضوعى ، اليكم هذا التقرير الذى يعكس صورة الديمقراطية المصرية فى عيون الغرب بشكل متحيز ، الصورة الخاطئة التى على اساها نبنى هذا الجسر . شاركونى

تقرير الديمقارطية المصرية فى عييون الغرب.vtr

اول مراحل التحقيق كان فى استطلاعنا لمفهوم الديمقراطية المصرية ما لها وما عليها عموما عند هذه النخبة المختلفة والمتباينة والتى شاركتنا صناعة النموذج ، وفى تقديرى ان اجمل ما فى هذه النخبة هو صدقها وموضوعيتها بمعنى قالوا اللى ليهم والا عليهم او الديمقراطية المصرية يعنى اراء مختلفة متباينة ولكن صادقة عن مرئيات النموذج الديقمراطى المصرى ، لنتشارك:

تقرير : مفهوم الديمقراطية .vtr

بدانا الحساب ، الورقة الاولى الورقة القانونية والدستورية ، بعض الاصوات تحدثت فى الشارع المصرى عن تعديلات دستورية والنظر فى قوانين ممارسة الحقوق السياسية و تشكيل الاحزاب ، وقوانين الجمعيات الاهلية واشادت بقانون الجنسية المصرية الاخيرة بل ةوالاهم بنزاهة القضاء المصرى

فى هذه الورقة لم نجد افضل من ا.د.يحيى الجمل استاذ القانون الدستورى ليتحدث عن الاطار القانونى والدستورى للمارسة الديمقراطية فى مصر .

الملف القانونى

الورقة الثانية : ورقة شائكة ساخنة متحركة وورقة منظمات المجتمع المدنى وحركة حقوق الانسان فى مصر ، اقول ساخنة لان واحدة من ابرز الإشكاليات التى تعرقل تصدير صورة جيدة للنموذج هو استغلال الغرب لورقة حقوق الانسان والمجتمع المدنى للضغط السياسى والتشويه ، حنروح بعيد ليه ، قضية مركز ابن خلدون كانت نجمة الاعلام الغربى ولم يفتت نجوميتها الا القضاء المصرى العادل والنزيه الذى كفل لمصر ولابنائها ولحرية التعبير فيها كل الامان .

لكن بالتاكيد هناك رغم ما قد يقال عن معوقات يبقى ان هناك نمو متزايد لحركات المنظمات الغير حكومية فى مصر ورقة مزدحمة العناصر ولكنها حية من الحيوية يعنى . شاركونى

ملف حقوق الانسان

الاقتصاد المصرى ، ما علاقة الورقة الاقتصادية بتفيل الديمقراطية ، ومن يدافع عن تحرير الاقتصاد فى مصر وماذا يطلب القطاع الخاص والاقتصاديون ، وحقيقة الفجوة ما بين التبشير بالتحول واتلتحرر وبين تحقيقه بالفعل ، واحدة من اهم ملامح النموذج الديمقراطى من نظام شبه رأسمالى قائم على الملكية الى شبه

اشتراكى فى ظل مفاهيم التنافسية وقوانين الاستثمار ومخاوف السيطرة الاجنبية ورقة اشترك فى رسمها معى اراء مصرية ودولية ايضا شاركونى

الملف الاقتصادى

المراة المصرية ، تمكين المرأة ، تفعيل دور المراة ، تنشيط دور المرأة ، وغيره ، عبارات تتردد كل يوم فى الاعلام المصرى والمؤتمرات والفاعليات ، طبعا بكل تاكيد وضعية المرأة المصرية ورقة مهمة جدا فى رسم النموذج الديمقراطى المصرى ما له وما عليه ، فبالتاكيد كلما زادت مشاركة المراة كلما قويت الديمقراطية فى المجتمع ، تطبييقا على حال المراة المصرية ، ترى ما هو الموقف الحقيقى بعيدا عن الشو الاعلامى

ملف المراة

النموذج الديمقراطى المصرى فى الميزان الدولى بالتأكيد حينما سالناهم اجابوا من واقع خصوصية مصر ولكنهم اجابوا بما له وما عليه ، كيف نقيم نموذج الديمقراطية المصرية فى منظومة العلاقات الدولية ، كيف نقارن بين النموذج المصرى ونماذج اخرى عربية ، حمل النموذج من وجهة نظرهم العديد من ايجابيات وحيوية التحول الديمقراطى ولكنه ايضا حمل بعض السلبيات شاركونى.

الميزان الدولى .

المواطن المصرى طبعا حركة الشعوب هى الفيصل الحقيقى فى اى نموذج ديمقراطى تشارك تساهم بدور فى صناعة اوطانها ، الشعب هو الى عليه العين على راى المثل ، ولكن حينا قررنا ان تصيغ الورقة الشعبية فى النموذج الديقراطى المصرى اصطدمنا بحالة تقول ان هناك نوع من القيمة المحورية للحاكم تعود الى الارتباط بين المصريين ونهر النيل فهناك قدسية للحاكم منذ الفراعنة ومعها هناك

موروث بيروقراطى ما بين السلطة والمواطن فى الشارع المصرى ، هل هذا صحيح ، هل هذا يؤثر على قرار الشعب ماذا يقول الخبراء وماذا يقول الشعب عن هذا.

الملف الشعبى

الحضور ، هل ارهقناكم ؟ بالتاكيد النموذج ثرى وحيوى ومختلف وصعب ، ويبقى فيه اوراق اخرى اكثر سخونة نقراها فى الجزء الثانى ، لازال لدينا ورقة الاحزاب السياسية المصرية ، الحياة الحزبية فى مصر ، هل تعانى من ازمة فعالية ، العلاقة ما بين الحزب الوطنى واحزاب المعارضة الاخرى ، احزاب اليمين والوسط واليسار فى منظومة الحوار الوطنى .

كما لدينا ورقة الساحة الدينية المصرية بين حركة الاخوان المسلمين والعلاقة بين الاقباط والمسلمين فى نسيج الوحدة الوطنية .

وعن اليات التنشئة السياسية بمنظومة الاعلام والثقافة يتبقى ايضا لنا ورقة نناقشها فى الجزء الثانى مع مزيد من التفاعل الجماهيرى لنكمل صورة النموذج الديمقراطى المصرى الصحيح

لجزء الثانى من حلقة الديمقراطية

اليوم نستكمل سويا ملامح ومرئيات النموذج السياسى المصرى ما له وما عليه بقراءة الاوراق المتعددة التى يشملها هذا النموذج

وقبل ان ندخل نؤكد ان الدافع الرئيسى لبناء هذا الجسر هو التاكيد للجميع داخليا وخارجيا على قوة النسيج المصرى فى التصدى لكل ما من شانه الالحاق باذى لصورة مصر ، تظل الديمقراطية والليبرالية ايها السادة هدفا عزيزا ينبغى السعى له بداب وترسيخه على مستوى النخبة والجماهير ، قد تعلو اصوات هنا واصوات هناك تطالب بمزيد من الحريات الايجابية والتحررية ويبقى المخلصون دائما جسرا نحو تحقيق الكلمات

دعــونى ابــدا

فاصل الديمقراطية

الساحة الدينيـة فى مصر- كانت ايضـا واحـدة مـن اوراق الملـف الـديمقراطى المصرى لانها شهدت العديد من التطورات والانعكاسات وكانت واحدة مـن ابـرز ملامحها حركـة الاخـوان المسـلمين والجماعـات الإسلامية فى مصر- وعلاقتهـا مـع المجتمع والنظام السياسى فيه بدء من حقبة الرئيس السادات وايضا ما نـتج عنـه من ظهور العنف والاسلام السياسى ، كـما تشـهد السـاحة الدينيـة ايضـا اوضـاع الاقباط المصريين والعلاقة بين المسلمين والاقباط

شاركونى ؟

الملف الدينى

ولا نستطيع ان نتجاهـل دور دوائـر الثقافـة السياسـية ووسـائل الاعـلام عـلى عمليـة التطـور الـديمقراطى، مـا علاقـة المثقفـين بالنظام السـياسى ولمـاذا هنـاك تقاعس فى اداء دورهم الطليعى لتعزيز الديمقراطية والاعلام المصرى ما بين خاص وحكومى اين هو من نشر ما يسـمى يثقافة الديمقراطيـة ، ايـن دور المؤسسـات الثقافية والاعلامية فى العمل عـلى تـدعيم سـلوك المشـاركة السياسـية للمـواطنين والارتقاء بخلفياتهم السياسـية ، هـل الاعـلام والثقافـة المصريـة فى قفـص الاتهـام كملمح من ادوات التعزيز الديمقراطى المصرى

شاركونى

الملف الاعلامى

المـواطن المصرى طبعـا حركـة الشـعوب هـى الفيصـل الحقيقـى فى اى نمـوذج ديمقراطى تشارك تساهم بدور فى صناعة اوطانها ، الشعب هو الـلى عليـه العـين عـلى رأى المثـل ، ولكـن حيـنما قررنـا ان نصـيغ الورقـة الشـعبية فى النمـوذج الـديمقراطى المصرى اصطدمنـا بحـالة تقـول ان هنـاك نـوع مـن القيمـة المحـورية للحاكم تعود الى

الارتباط بين المصريين ونهر النيل فهناك قدسية للحاكم منذ الفراعنة ومعها هناك موروث بيروقراطى ما بين السلطة والمواطن فى الشارع المصرى ، هل هذا صحيح ، هل هذا يؤثر على قرار الشعب ماذا يقول الخبراء وماذا يقول الشعب عن هذا.

الملف الشعبى

الاحزاب السياسية فى مصر : هى منظمات وتجمعات سيساسية ينظم القانون كيفية تشكيلها وحقوقها وواجباتها وتمارس لعمل السياسى بهدف الوصول للسلطة فى الاتخابات العامة من يحصل على الاغلبية يشكل الحكومة والاحزاب الاخرى تتولى دور المعارضة داحل البرلمان كرقيب ومعاون فى سبيل تحقيق ديمقراطية البلاد .

مصر عرفت فى السبعينات بتحويل المنابر الثلاثة _الوسط واليمبن واليسار) الى احزاب ودخلت مصر بعدها عهد التعددية الحزبية ووصل عدد الاحزاب فى مصر الى ١٧ حزبا وفى مقدمته الحزب الوطنى الديمقراطى وهو الحزب الحاكم واجزاب الوفد والتمع والناصرى وعدد من الاحزاب الاخرى مثل العدالة الاجتماعية والخضر والتكافل والامة .

ماذا تقول الاحزاب السياسية المصرية عن الممارسة الديمقراطية فى مصر .شاركونا

الاحزاب

الحكومة ، السلطة ، النظام ، كلها مصطلحات ترددت لتدل على قمة النظام السياسى فى الدول النامية رغم ان اية نظام سياسى متقدم هو محصلة التفاعلات المجتمعية كلها ، ولكن الحكومة فى مصر هى حكومة الحزب الوطنى الديمقراطى الذى يمثل الاتجاه الوسط وحل محل حزب مصر منذ بداية مولد المنابر فى عهد الرئيس السادات ، ويحصل الحزب الوطنى على اغلبية مقاعد البرلمان فى كافة الانتخابات التى اجريت على مدار العقدين الماضيين

ويشهد الشارع السياسى المصرى والدولى وجود حركة من التحديث والتجديد فى دماء الحزب الوطنى تحت شعار الفكر الجديد والدعوة لمشاركة ، والباحثون يروا ان هذه التغييرات تاريخية ولم تحدث فى هيكلية الحزب الحاكم من قبل بينما أحزاب المعارضة ترى انها تغييرات شكلية رغم تقديرها واستجابتها لدعوة الرئيس مبارك للحوار الوطنى بين الاحزاب .

كان من الضرورى لتحقيق التوازن ان نعرض وجهة النظر الحكومية ايضا فى كل مرئيات هذا النموذج

الحزب الوطنى كيف يرى النموذج الديمقراطى المصرى ورده على انتقادات المعارضة ومطالب رجل الشارع شاركونا !!!

الحزب الوطنى

هل يمكن استيراد الديمقراطية هل يمكن استزراع الديمقراطية ، كل ما قدمناه من مرئيات االنموذج يختلفون فيما بينهم ، ربما يدخلون حتى فى معارك كلامية او صحفية او حتى قضائية ولكن عندما سالناهم مارايهم فى الديمقراطية المستوردة كان الرفض التام ، ضد التدخل الخارجى وعلى راى المثل انا وابن عمى على الغريب ، على الله يفهم الغريب

الديمقراطية المستوردة .

تبقى ديمقراطية مصر انعكاس لوضع الدولة الكبرى فى الساحة العربية مصر ، وعليه اعتقد بعدما تشاركنا مع كل هؤلاء الخبراء من المحاور المختلفة قدمنا النموذج المصرى الديمقراطى ما له وما عليه ، فلن يتضرر احد لو قمنا نحن ايضا بالمشاركة الموضوعية كما نفعل قى هيكلية برنامج الجسر وهو محاولة طرح النموذج الحقيقى للديمقراطية المصرية فى التقرير التالى ، ان حاز القبول منكم نبدأ فى تصديره للاخر بدلا من صور مشوهة ومغرضة قد تستخدم فى فترة كأداة للتدخل الخارجى

تقرير الديمقراطية النهائى

خــــتام

أيها الرفاق حينما نسعى الى تعزيز الديمقراطية فى بلادنا علنا نقول انه من الخطا اختزال الديمقراطية فى البعد السياسى ومشكلة السلطة الحاكمة وعلاقتها بالمحكومين تاركين مشاكل اخرى تتعلق بالديمقراطية ثقافية واجتماعية وسياسية ، مشاكل الانتخابات هى اخر المشاكل فى سلسة من الحلقات ، نحن فى حاجة الى مفهوم اوسع للديمقراطية يعزز الكيان المصرى ونعتقد اننا قد بدأنا بالفعل فى عملية التحول الديمقراطى فى مصر ، فقضايا الاصلاح السياسى هى أبرز القضايا الوطنية ومعها نؤكد ان مطالبات المجتمع المصرى كله بالخطاب السياسى والاصلاحى المصرى والقوى المنتجة له لاعلاقة له بالخطاب الخارجى بعد ١١ سبتمبر ومطالبات عديدة بالديمقراطية والحريات وحقوق الانسان ، لان خطاب الاصلاح والديمقراطية والحرية هو جزء من ليبرالية مصرية وطنية لها تاريخها الفكرى والثقافى والسياسى الاصيل تنسج قوى الشعب المصرى خيوطه وتتحمل صعوباته لانها تثق فى التغييرللافضل حتى لو تحملت الكثير فى سبيل تحقيق هذه الديمقراطية الذى بدأت خطواتها

من القاهرة العاصمة المصرية هذه تحياتى .

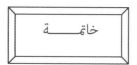

خاتمـــة

وأخيرا وليس أخرا.... فانه من الأهمية بحث استراتيجيات
الارتباط القوية ما بين مفهومى النظم السياسية والنظم الإعلامية
المصاحبة لها ، مع النظر بعين الاعتبار إلى العلاقة الثنائية التى
تشبه علاقة " العسل والنحل " على اعتبار ضرورة التعاون
والاعتمادية التأثيرية فيما بين المفهومين ، فلقد حظيت
استراتيجيات الارتباط ما بين السياسة والإعلام ببعض من البحث فى
مجال الاتصال السياسى من قبل ، ولكن من الضرورى إن يتركز
اهتمام الباحثين وواضعى السياسة فى الفترة الحالية على بحث
التطورات السريعة التى طرأت على مقدرات الخريطة العالمية
والتى من شانها إن تؤثر سلبا أوإيجابا على طرفى هذه المعادلة
أيضا ما بين السياسة والإعلام .

وفى مقدمتها الثورة التكنولوجيـة والاتصـالية الواسـعة التـى
جعلت علاقة الاعتمادية هـذه أكثر وضوحا وقوة بالإضافة إلى
ملامح القطبية الأحادية التى تتشكل فى عالم السياسة الدولية ،
وتصبغ الأجندة العالمية برؤيتها وقراراتها السياسية ، بل والأخطر
إنها صارت أكثر التصاقا بمحاولات صنع الأجندة الداخلية أيضا
للدول والشعوب التى تدنيها فى منظومة القوى الدولية وخاصة
منطقة الشرق الأوسط والمنطقة العربية .

وهو الأمر الذى من شأنه إن يشجع باحثو الاتصال والإعلام
السياسى فى هذه الدول إلى تكثيف بحث هذه العلاقة الثنائية
ودراسـة مدى تأثيرهـا من حيـث تقليل سلبياتها وتعظيم

إيجابياته بشكل أفضل وصولا إلى الاستفادة المثلي منها لصالح المواطن العربي من أجل مزيد من التنوير والإدراك السياسى لفهم اكبر سواء على مستوى الداخل السياسى أو على مستوى ملامح الخريطة السياسية الخارجية .

وهو الأمر الذى يلقى بمسئولية كبيرة على كل من صانعي القرار سواء على الشئون السياسية أو الاتصالية من اجل الإسهام سويا لصالح هذا المواطن الذى يحتاج إلى رسائل إعلام سياسى موضوعية وصادقة تبتعد عن المذهبية والتحزبات ويكون صالح المواطن والمجتمع هو هدفها الأول والأخير.

المؤلفة فى سطور

د .حنـــــان يوسف

عضو هيئة التدريس بجامعة عيـن شمـس ، دكتوراة فى الإعلام العربي والدولى ، ماجستير فى الإعلام السياسى .

أستاذ زائر للأعلام العربي والدولى فى عدد من الجامعات المصرية والعربية والدولية.

الرئيس التنفيذى للمنظمة العربية للتعاون الدولى ايكو -AICO لدراسات حوار الحضارات والأبحاث الإعلامية.

معدة ومقدمة عدد من البرامج التليفزيونية الشهيرة فى العالم العربي مثل : الجسر- موعد مع الرئيس -حكاوينا -لقاء مع ..

عضو اللجنة الوطنية لليونسكو بمصر .

الأمين العام لجمعية الدفاع العربي الأهلية المعنية بالدفاع عن صورة العرب بالخارج.

المستشار الإعلامي لوزارة الصحة والسكان المصرية وخبير إعلامي دولى لعدد من الهيئات المحلية والعربية والدولية .

عضو فى عدد من النظيمات السياسية والحزبية والاهلية، وعضو المنتدى الليبرالى المصرى والاتحاد الفيدرالى لسلام الشرق الاوسط .

المستشار الإعلامي لعدد من القنوات الفضائية العربية الرسمية والخاصة، عضو لجان تحكيم فى عدد من المهرجانات الدولية .

عضو فى عدد من الاتحاديات الإقليمية والدولية وعدد من اللجان فى مجالات الإعلام الدولى والعربي والسياسي ومجالات التنمية البشرية

لها عدد من الكتابات الإعلامية والسياسية فى قضايا العالم العربى المختلفة وكيفية تصحيح صورة العرب والمسلمين من خلال الارتقاء بالنظم الداخلية للدولة وتحقيق أعلى درجات التنمية الإنسانية .

لها عدد من الاصدارات :

- الاعلام والسياسة – مقاربة ارتباطية
- الاعلام الدولى وصورة العرب
- الاعلام والتنمية البشرية العربية
- الديمقراطية فى مصر
- حوار الحضارات – النموذج العربى الاوروبى
- حقوق الانسان فى العالم العربى – المفهوم والممارسة
- تاء التانيث- مجموعة قصصية
- تكنولوجيا الاتصال ومجتمع المعلوماتية .

e.mail hyousef swallow@yahoo.com
website : www.geocities.com/hananmedia

الفهـرس

Printed in the United States
By Bookmasters